婦人之友社
育児ライブラリー
4

はやね はやおき 四回食

Message

よい食習慣は一生の宝

子どもがいきいきとして健康なことは、何よりもうれしく、大切なことですね。けれども子どもは眠い、おなかがすいた、もっと遊びたい……などだだをこねるときも多いでしょう。そうした子どものしぜんの欲求をよく見ていると、まず親がしなければならないことがあるのに気づきます。眠いときに眠らせ、遊びたいときに思いきり遊ばせ、おなかがすくころにきちんと食事の支度ができている。幼児期に「おきる、ねる、食べる、遊ぶ」の快いリズムで暮らすこと、そして、食事のときに待たせない生活ができることは、親子ともにほんとうに気持ちのよいものです。

三度の食事と一度の間食の「四回食」は、幼児期の子どもに最も適した食生活のリズムです。昭和十三年「幼児の生活展」を機に、婦人之友誌上で広く提唱して以来、長年にわたって全国友の会の母親たちが、実践、研究し続けてきました。

乳幼児期の食生活はすべてが大人の手にゆだねられているのですから、一層はっきりとした方針をもっていたい。氾濫する市販のおやつで高脂肪になり、ついつい頼ってしまう外食で栄養バランスをくずし、子どもの成人病などとさわがれる今だからこそ、再び自然の理にかなった「四回食」を提唱したいと思います。

多くの母親の実践に裏づけられて広がるたのしい食卓。子どものときのよい食習慣は一生の宝です。

目次

幼児期の食生活は──

乳幼児期は人の一生の中でも、心身共に最も成長、発育の著しいときです。この時期のよい食習慣やたのしい食卓は、健康づくりはもちろん、心の成長にも大きく影響を及ぼします。私たちはさまざまな家事に追われがちですが、育児期はことに「食」を生活の中の大きな柱と考え、積極的な意志をもってたのしくこなしていきたいものです。

体の割に必要な多くの栄養量

くるくると一時もじっとしていない幼児は、体の大きさに比べて活動量が多く、それを維持するためにかなりのエネルギーが必要です。さらに体重は四歳で出生時の五倍にもなるのですから、そのめざましい成長のためにも栄養は充分にとらなければなりません。離乳が終わるとつい気をぬいてしまいがちですが、幼児の体重１kgあたりのエネルギーの所要量は、大人の約二倍。また、たんぱく質やカルシウムなどの一日の所要量は成人女子の約3/4もとる必要があり、小さな体の割に多くの栄養量が必要なのです。

体を使うことが体をつくること

それではお母さんはせっせと食事づくりだけをしていればよいのでしょうか。いくら料理をつくっても、子どもが食べてくれなければ始まりませんね。よく、食べない子に子育ての先輩が「小学校に行けば食べるようになるわよ」と助言しているのを聞きます。これは体の成長もありますが、規則正しい生活になることも大きく影響しているのでしょう。その生活リズムを子どもが家庭にいるときから、上手につくり上げたいのです。

体を充分に動かして遊ぶことは、栄養摂取と比べ、ともすると見落とされがちですが、〝体を動かし、おいしく食べる〟は生活の基本です。その上、外遊びによって栄養の吸収も違ってきます。〝これだけ食べさせなければ〟と気にする前に、まず、おなかがすくよ

うに、子どもと充分に遊びましょう。

最初のステップは大人の食卓を見直すことから

幼児期は生活リズムを体で覚えることや、食品の種類を多くとることなど、すべての面で習慣をつける時期でもあります。家庭の食卓のバランスが悪ければ、そのまま子どもに受けつがれることになりかねません。グルメ志向といわれ、食習慣から生まれてくる病気（成人病）が子どもにも及んでいる時代です。そのもとをつくらないためにも、大人の食卓を見直すことも必要かもしれません。

何でも食べられるように

一歳をすぎればほとんど大人と同じものが食べられるようになります。子どもの顔色を見ながら、好きなものだけを出すようなことはやめましょう。これは食べものを大事にする気持ちを育てる上でも、大切なことだからです。

子どもは味に敏感です。この時期に素材そのものの味を大切にし、大人も一緒に薄味にしながらほんとうにおいしいと思うものを食卓に――。そして「市販の味を覚える前に、家庭の味を覚えさせること」に、お母さんの頭と手を充分に働かせてください。

食卓は笑顔で、心を育てることも忘れずに

食生活は体の栄養のためだけでなく、心の成長にも大きくかかわります。消化酵素の働きは子どもの場合まだ未熟で、自律神経や心理的な影響を大人より受けやすいのです。たのしいときは食がすすみ、悲しいときは食欲もあまり出ません。ですから「早く早く」ではなく、「おいしいね」と食卓を囲みたい。子どもには生まれつき小柄な子、成長の早い子、遅い子、たくさん食べる子、少食の子などさまざまです。必要以上に神経質にならず、子どもが元気で機嫌がよいのは健康な証拠ですから、全体を大きくとらえて、まず生活ではリズムを、栄養では食べる量よりもバランスを第一に考えましょう。

はやね　はやおき　食事時間で　生活リズムを　つくりましょう

「おきる、ねる、食べる、遊ぶ」の時間が決まると、子どもの生活はしぜんに健康なリズムを持つようになります。まず、それぞれのおかれた環境の中で、できるだけ早ね、早おきを心がけ、毎日同じ時間ですごすことをくり返してみましょう。「日に四回、定刻に食事が用意されている、そのくり返しが母と子の信頼を築くのにとても役立っているように思います」とは、三歳の子どものいるOさん。

子どもの食事をよくすることはよい生活をつくる、よい生活をすることこそ、よい教育となるのです。

食事時間を決めること

食事時間を決めることは、生活にリズムをつけるための大きな柱です。子どものためによいと思われる時間(10～11頁)を中心に、家族全体のことも考え合わせて、わが家の基本時間を決めてみましょう。時間が決まっていると、子ども自身が次はどうすればよいかがわかり、自然に行動できるはず。そこに自主性も育ちます。

生活時間は家族で決めましょう

毎日の生活は、お母さんと子どもだけですごす時間が多いかもしれませんが、だからこそお父さんとのつながりは貴重です。「四回食」を実行していくためには、たとえ決めた食事時間に揃えなくても、お父さんの心の参加は何よりも必要なもの。子どもの生活時間を知り、それが大切なことだとわかるだけで、お父さんの存在が違ってくるでしょう。

大人のゆっくりする時間も生まれます

「自分のために時間を使いたい。それが何よりの気分転換」「夜のおしゃべり、イライラとしていたのが夫との会話で救われた」――アンケートより――

自分をとり戻せる時間があると、ストレスのたまり具合も違ってきますね。子どもの早ねで、その後の大人のゆとりも生まれます。お母さんも翌日のために早めに休みましょう。

早ね　早おき　よく遊ぶ

「朝は子どもがねている方が家事がはかどるから」「うちの子は朝ねぼうだから」と思っているお母さん、夜遅くまで子どもをおこしていませんか？　子どもの体のリズムにあった生活をするために思いきって早おきを！　それには夕食時間を守り、早くねることです。朝仕事を手早く片付け、午前中も戸外に出て充分体を動かすことも大切なポイント。

昼ねは仮眠です

しっかり遊んで家に帰り、お昼ごはんが終わったら子どもは昼ねです。朝からフル回転してきたお母さんも貴重なリラックスタイム。新聞でも読みながらほっとひと息つけますね。でもちょっと頑張って、元気なときは夕食準備もしてください。そして大切なことは子どもをねかしすぎないこと。昼ねは夜の眠りにひびかないように、あくまでも仮眠と考えて。

大人とたのしい食卓を

ある友の会で親子一緒に食卓を囲んでいるか調べたところ、気持ちは一緒に食べているつもりだった人も、実際は洗たく機の水を止めにいく、台所の片付けをつづけている…と自分たちでもびっくりしたそうです。父母の食べているものを欲しがって食味が広がったり、まねをしてお箸を使ってみたり、これらはみんな家族で囲むたのしい食卓から生まれます。もちろんテレビもやめましょう。

人は太陽と共に

人はなぜ朝になれば目が覚め、夜は眠くなるのでしょうか。このメカニズムはまだ充分解明されてはいないのですが、生物としての人間の体には、「生体リズム」と呼ばれる体内時計があるのではないかと考えられています。これが太陽と共に動いている早ね早おき時計なのです。

　子どもにとって大切な成長ホルモンは、睡眠の初期に訪れる深い眠り（徐波睡眠）の間に、大量に分泌されます。この睡眠は、就寝時刻を規則正しく守ることにより、多く得られます。

　また、人間の身体の活動性を表わす体温は、夜明けの三～五時に最も低くなります。したがって夜間に睡眠をとるのが、休息のためには最も効率的です。同じく活動性に関係のある副腎皮質ホルモンの分泌のピークは、起床から二～三時間後なので、夜ふかしや朝ねぼうなど不規則な生活を続けていると、分泌の時刻もそれだけ遅い方にずれてしまいます。ホルモンの分泌だけでなく、身体の活動レベルの上昇も全体として遅れるので、おきても午前中は充分に目が覚めず、食欲もわきません。まさに人間は太陽と共にあるのです。

国立精神神経センター総長
大熊輝雄

三度の食事と一度のおやつで四回食

起床6:30ごろ

朝しぜんに目が覚めるのは、光の刺激で脳が興奮しメラトニンという眠気をさそう物質の分泌が減り、目覚めがうながされるからです。さぁ、部屋いっぱいに太陽の光を入れましょう。

朝食 7:00ごろ

家族揃っての朝食は1日の活力のもと。朝おきてから自律神経が正常に働くまでに、10〜15分かかりますから、起床から少なくとも30分はあけると食欲が出ます。野菜をしっかりとることも忘れずに。

昼食11:00ごろ

子どもをよく見ていると、朝きちんと食べた子は、11時をすぎ、11時半ごろになると機嫌が悪くなったり、おなかがすくようすがわかります。一番活動的な時間ですから、食事の内容も充実したものに。午後の生活にひびかないよう、12時には食べ終わりたいものです。

「四回食」と聞くと食事用意に追われがちなお母さんの中には、ため息の出る人も多いでしょう。でも四回食は三食とおやつを意味します。この四回の食事時間を決めることは、必要な栄養をおいしくとるためのごくしぜんな生活なのです。

　成長期の子どもにたくさんの栄養が必要なことは前にも述べました。その割に子どもの胃は小さく一度にたくさんの食事が入りません。早おきした子どもがおなかをすかせたときにタイミングよく食事を出すと、この四回になります。間隔は三〜四時間、消化時間にもあったよいリズムです。

●四回食はわが家のこの七年間の育児の基本でした。毎日給食を残さずさっさと食べる一年生の娘を見て、先生は「どんな風に育てら

●お昼を11時にとると、午後がゆったりできる。早めのお昼は早おきの子どものリズムにしっかり合っているので、親子共に気持ちよい。（R・T　3歳）

●子どもって本当に3～4時間でおなかがすいてきます。そのタイミングに合わせて食事にするとよく食べます。栄養をまんべんなくとろうとすると、3回では食べきれずやっぱり4回になってしまいます。（T・S　2歳）

おやつ 2:30ごろ

甘いお菓子ばかりでなく、芋、豆、野菜なども利用して、たのしいひとときを演出しましょう。おやつを1回の軽食、または3回の食事の補食と考えることは、1日の栄養をバランスよくとるためのポイントです。くだもの、牛乳をつけることを基本とし、61頁の手間いらずのものやつくりおきをすれば、お母さんの気持ちもらくですね。

夕食 6:00

「8時にねかせるためには、夕食からねるまで2時間は必要。とすると夕食の6時はくずせませんね」これはたくさんのお母さんや先輩たちからの意見です。ねるまでに2時間あることは、消化の面からも大切。安眠するために胃に負担のかからない献立に。

就　寝 8:00

照明も太陽光と同じに脳を刺激します。子どもがしぜんに眠くなるよう部屋は暗めに。

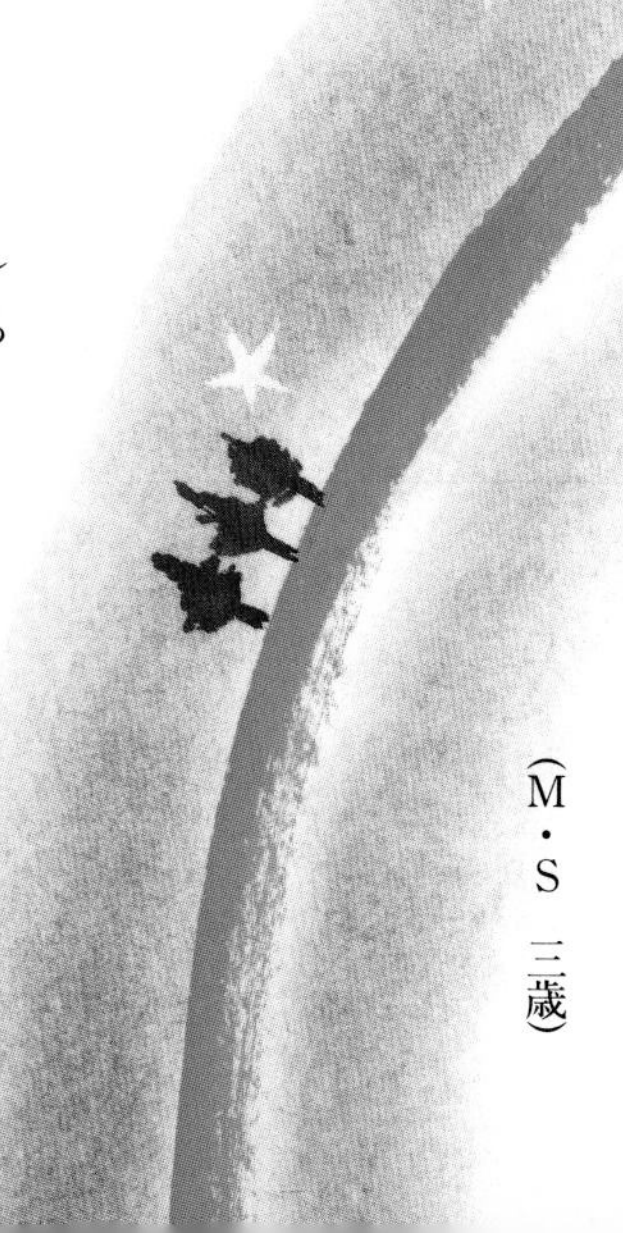

れたの」と聞いて下さいます。七・五・三歳の娘たちとのリズミカルな毎日で私は次の一節を実感できたことをうれしく思っています。——日々こうした生活のふしぶしに気をつけて、食事のときには自然空腹になるように、ひるねのときには自然ねむくなるように気をつけさえすれば、そのあいだはむしろあまりに心配して、母親が子どもの番人ばかりしているよりも、自分は自分の仕事をし、子どもは自由に思うままに遊ばせておく方がかえって丈夫にのびやかに育つものだと思います。

羽仁もと子著「おさなごを発見せよ」より

（M・S　三歳）

食べ方は育つ　育てるもの

1～2歳

この頃は手づかみ、グチャグチャ食べのわがまま坊主。でもエプロンをつけ、ビニールシートを敷いて、もう大丈夫。

3歳

感情が落ちつき、食べものにも興味をもつ。コップやスプーンは上手に使うが、完全なひとり食べにはもうひと息。

4～5歳

食べ方が早くなり、食卓での話題もたのしい。この頃には、お箸も上手に使えるようになる。

●好き嫌いをなくす工夫は、まず親が好き嫌いなく何でも、おいしそうにモリモリ食べること。食わず嫌いというのが案外多いと思うので、たくさんの素材を使い、いろいろな調理法で食卓にのせています。
（E・T　一歳）

●漫画の絵のついたランチ皿を使い、「もう少しでお顔が見えるね」「○○マンもがんばれ！って言ってるよ」と絵を使って話しながら、たのしく食べました。量はごく少なくして、種類は多く、きれいに食べたという満足感を子どもに味わわせました。
（T・M　六・四・一歳）

●一か月ほど前までは、味噌汁の実のじゃが芋ばかり好んで何か月も食べ続けていたのが、ぱったり食べなくなったかと思ったら、今度はわかめばかり……。好みにもひどいムラがあって、それもだんだんかわっていくようです。
（N・O　一歳）

●スプーン、フォーク、箸、どれも手に持つが、手づかみで食べる方が多い。何度いってもダメ。汚れた手をふりまわしては、お手拭きで拭くようすは指先が不器用なのか？　と思うほど。それでも床

毎日前頁のように暮らせたら快適ですね。でも現実には思わぬハプニングも。そんなとき一つ一つの現象を見てやきもきすることはありません。子どもはたえずいろいろなことを経験し、覚え、そうして成長しているのですから。食べ方をよく見て、発達時期も考え合わせ、上手に助けましょう。

自分で食べたい

一歳になると何でも手づかみで食べはじめます。ところが口に入る量とこぼれる量が同じくらい。落としてみたり、口から出してながめたり……と、手ばかりか体中が汚れます。この時期はすぐしかってやめさせたりせず、この時期は手づかみも大目に見て、食べものはなるべく握りやすい形、食べやすい形（14頁）に。子どもの食べる意欲を大切にしながら、少しずつ手伝ってあげましょう。スプーン、フォークも使わせ、哺乳びんはやめてコップを。

エプロンをする習慣を

まわりが汚れるからと、全部親が食べさせる人もいるようですが、それでは子どもが自分で食べる自立の第一歩がふみ出せません。食事のときは汚れても気にならないように、エプロンやスモックを着せ、床にはビニールや紙などを敷いて。子どももエプロンをつければ食事だと意識の中で、けじめをつけやすいのです。

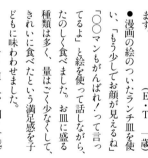

幼児はむら食い　あせらずに

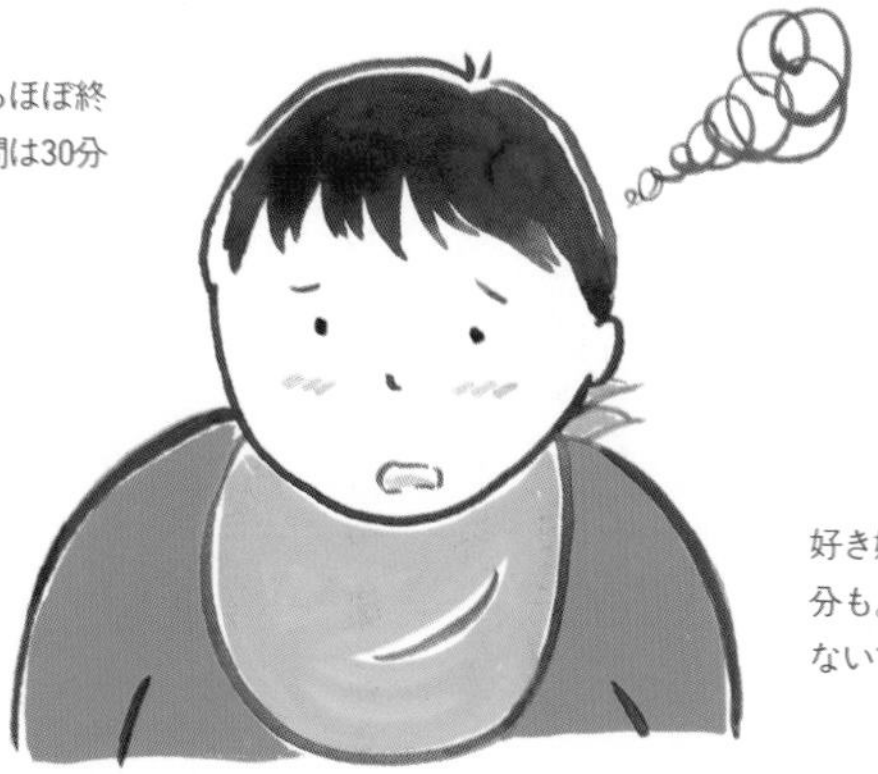
よくかむことの習慣づけはこの時期から（次頁参照）。
遊びはじめたらほぼ終わり。食事時間は30分をめどに。
「強制しない」は原則。さらりと片付け、空腹を知ることも大切。
食欲がなくても食事時間は規則正しく。食べないからとお菓子で代用は禁物。
好き嫌いはその時の気分も。偏食と決めつけないで。

にビニールを敷いてエプロンをして、とにかく一人で食べさせていたら、二歳すぎには上手に食べられるようになっていました。

（M・S　三歳）

●一歳のお誕生日の頃からお箸を使いたがり、すべらない使いやすいものがなかったので、割箸を短くして使わせました。特にうどんはフォークよりこのお箸の方が食べやすいようで、最初ははさむよりひっかけるようにして、自分で上手に食べていました。

（A・Y　三歳）

●スプーンで一人食べを始めた頃、スプーンにのらない、フォークにささらない、とヒステリー。食べやすいようにマヨネーズ和えにしたり、半分つぶしたり……フォークも子ども用よりはさしやすい姫フォークを使いました。

（S・K　三歳）

●食べなかったものは、翌日空腹の時に出す。無理強いしても逆効果しかない子なので、しばらくその食品はお休みにした後、他の家族だけに出して、「私にも……」という気持ちを誘った。

（M・O　一歳）

むら食い　食欲不振

食欲はその日の生活、気分によってずいぶん左右されます。ことに二歳前後は子どもの感情が不安定な時期、食事にもむらが目立ちます。さらにお母さんの注意ばかり多くては、せっかくの食事もたのしくありません。この頃は自我の発達するとき、自己主張も強く気まぐれと心得て、無理に食べさせようとしないことです。栄養も一週間くらいの長い目で見ましょう。またごはんを食べないときは、クラッカーやパンを持たせてみたり、嫌いなものは先に食卓に出すなど、できるだけ衝突をさけるお母さんの知恵も大切です。

しぜんに身につけたい食卓マナー

口まねで「いただきます」「ごちそうさま」といい出すように、大人と一緒に囲むたのしい食事の中で、ごくしぜんにマナーが身についていくといいですね。食事前に手を洗う、お皿を下げるしつけも大事です。

お箸はスプーンが上手に使えるようになったらだんだんに練習を。最初はにぎり箸でもかまいません。なれてきた頃に、正しい持ち方を教えましょう。

また、遊び食べの時期も、食事と遊びは違うのですから、食べることをやめて遊びはじめたら、残りを手伝って食べさせ、食べないときは片付けましょう。

幼児食で気をつけたいこと

食べやすい形を　ことに一～二歳の頃は

自分で食べたい幼児期前半は、ごはんはおにぎりにしたり、野菜はにぎりやすいスティック状やスプーンにのる大きさ、フォークにさしやすい形、ぼろぼろするものは片栗粉でとじるなど、子どもの食べ方に合わせて調理を工夫します。また、この時期に野菜の切り方が大きすぎると、野菜嫌いをつくることもありますから、ちょっと小さめに切る、ソースや衣で和えてのどごしをよくするなどの配慮も大切です。次項の咀《そ》しゃくのことを考えても、一～二歳の頃の食べにくい食品は、さいごにひと手間かけましょう。

咀《そ》しゃく力をつける　柔らかさも大切

最近、「柔らかい食事が多くなって、かんで食べる力がつかない」ということがよくいわれます。「咀《そ》しゃくする」ということは、食べものをよくかんで、唾液とまぜ合わせ、消化吸収をよくすることです。また、食べものをよくかむことで、歯の汚れが落ち、歯ぐきのマッサージになり、丈夫な歯やあごを育てます。よくかんで食べることはぜひ身につけたい習慣です。

それでは離乳期の終わった子どもは、おとなと同じ固さのものを食べればよいのでしょうか。むしろかみ切れずに、丸のみしてしまうくせがつく子が多いのです。最初は柔らかく、小さく、かみやすくと調理を考え、徐々に大人と同じような形、固さに移行していく。そしてい

子どもの成長の基本を知ろう

一色　玄
（大阪市立大学
小児科学教室教授）

幼児期の発育

一歳以後の子どもの発育は乳児期に比べるとずいぶんゆっくりしたものになります。特に体重の伸びよりも身長の伸びのほうが目立ち、体重は一日当たり20g増えていた乳児期と比べると、5gくらいしか増えないので、やせてきたように感じられる年頃です。そのために食事の強制という問題もおきる時代です。食欲、食事量は個人差が大きいので、精神、運動の発達が正常で、体重がわずかずつでも着実に増えていれば心配はいりません。

幼児期は精神運動機能が発達し、行動範囲が広がり、社会生活の基本になるような生活能力が、徐々に発達してくる時期です。

栄養の特徴

①運動機能が発達し、運動量が増えますので、それにあわせて食事エネルギー量も増やします。ふつう食事は日に三度というのが常識ですが、これは幼児にはあてはまりません。特に二～三歳の頃からは運動も激しくなり、消費するカロリーも大きくなりますので、補助的な食事という意味の間食が必要になります。

②精神発達にともなって自分の意志や考えを表現するようになりますので、食物に対する好き嫌いがはっきりしてきます。しかし、その大部分は一時的な気まぐれですので、強制さえしなければ、がんこな偏食になることはありません。

③基本的な食習慣を身につけておく時期ですから、食事態度や食器の使い方についての教育をはじめてはいかがでしょう。ただしあせらないこと。

④情緒の分化もすすみ、感情の起伏も大きい時期ですか

ろいろなものがよくかめるようになる幼児期後半からは、繊維質の多いごぼうやれんこんなどの野菜、かたまりの肉など、しっかりかまなくては食べられないものを、積極的に食生活にとり入れていくようにします。

　小さい頃から大人がよくかんでみせ、「しっかりかもうね」と声をかけることも忘れずに。

薄味に　大人も一緒に塩分をひかえて

　離乳食は薄味にしていても、大人とほぼ同じものを食べる幼児期になると、どうしても塩分が多くなってしまうようです。ベビーフードの塩分は0.5%以下、大人の食事の味つけの目安は0.8%くらいです。幼児期から薄味に慣れることは大切で、それには素材の持ち味を生かす、旬の素材を選ぶ、だしを効かせるなどの調理の工夫も必要です。濃い味にはすぐ慣れてしまうので、漬けもの、塩鮭、塩辛など、塩分の多すぎるものはさけましょう。

魚や野菜、和食好きの子どもに　成人病予防のために

　ハンバーグ、とりのから揚げ、カレーなど子どもの好むものには、肉料理が多いようです。けれども主菜が肉ばかりに偏ると、どうしても動物性脂肪のとりすぎになります。魚の脂肪は植物油と同じように良質なので、意識して魚料理もとり入れて。幼児期から魚好きになるといいですね。

　また、ビタミン、ミネラル、繊維質を多く含む野菜も大好きな子どもになってほしい。この時期は野菜が嫌いな子どもも案外多いのですが、まだまだ好みは変化しますから、嫌いな野菜があっても、食卓には出すことです。

　一生の健康のために、脂肪の摂取量の少ない和食も多めに献立に組み入れましょう。


ら、たのしい雰囲気で食事をさせることが必要です。近年、孤食が問題となっています。食事はコミュニケーションの道具ともいわれます。食事は家族揃ってとまではいいませんが、少なくともだれかと一緒に団らんのひとときをたのしむものではないでしょうか。孤食は一人でだらだら食べているための太りすぎや過食、パーソナリティーの発達障害の心配もあるのです。

咀《そ》しゃくと食物の消化

　離乳初期は離乳食をただ飲みこむだけですが、やがてあごを上下にモグモグと動かし、舌で押しつぶします。次にあごや舌を左右に動かし歯ぐきでかみつぶすようになります。乳歯がはえてきますと比較的固いものも食べられるようになり、成人と同じように口に入った食物を左右に動かし口をすぼめてカミカミして食べます。このような咀《そ》しゃく運動は一歳半頃から本格的になり、そのような時期に幼児食の時代が始まるのです。

　口の中に入った食物は咀《そ》しゃくされ、唾液とまじりあい、食道を通って胃に送りこまれます。幼児の胃は食物が入ると、ちょうどみみずがすすむときのように波状に伸び縮みし、食物と胃液とをよくまぜながら送っていきます。胃液にはたんぱく質を分解する消化酵素や塩酸が含まれていますが、その分泌は食物を咀《そ》しゃくすることで反射的に行われますので、このためにも充分に咀《そ》しゃくする習慣をつけることが重要です。

　胃の中の食物は少しずつ十二指腸に送り出され、さらに小腸にすすみ、完全に消化吸収されます。唾液とまじった食物が胃の中にある時間はいろいろの条件で変わってきますが、糖質の多い食事では二〜三時間、脂肪の多い食事では四〜五時間といわれています。いずれにしても胃が空になるまでに次の食物が胃にやってくるのは良くないことですから、食事の時間は規則正しくとりましょう。

励みあう暮らしの中から ひろった大事なポイント

母親の声から

離乳からしぜんに四回食へ

離乳食は幼児食のはじまり。下の図のように、生後十か月頃、一日三回が軌道にのったら、だんだんに朝を離乳食にし、四回食の時間に移行します。そして、夜の授乳がなくなるともう卒業、しぜんに四回食となります。親も心を新たに幼児食へ。

家族揃って励んだ五つのこと

夫と私は子どもを育てる過程で〝おなかがすいたら食べる〟というしぜんな食欲を大切にしたいと思いました。何の習慣もついていない赤ん坊の時期に、何時間おきにどれだけの量を授乳するというこだわりを捨て、それよりも子どもを注意深く観察して〝今、何をして欲しくて泣いているのか？〟と判断する目を持ちたいと思ったのです。そして歯科医師の主人から、子どものために次の五か条をもらったのは長女が五か月の頃でした。

①間食を与えない

これは親の強い意志とそれにも増して周囲のあたたかい理解を必要としました。またお菓子で気分転換させたりできないのでごまかしがきかず、娘と真剣につき合うことにつながりました。

②よくかんで食べる

素朴な食べものはよくかまないと味がでてこないのです。

③薄味にする

塩分も甘味もひかえめに。

④ジュース類は与えない

果汁100％もだめ。りんごジュースコップ一杯飲むのなら、りんごを食べる。

⑤牛乳は一日400cc位までとし、チーズを食べるときはその分減らす

牛乳は消化に四時間ほどかかるので、食間や食前には飲ませない。牛乳の過信による偏食をさける。

この五か条を何とか守りながら、ねる前のオッパイがなくなり、離乳食が完成した満一歳頃には、一日四回食事をするようになっていたのです。

つまり、自然な食欲を大切に育てた結果、四回食が生まれたのです。（崎川万樹子　七・五・二歳）

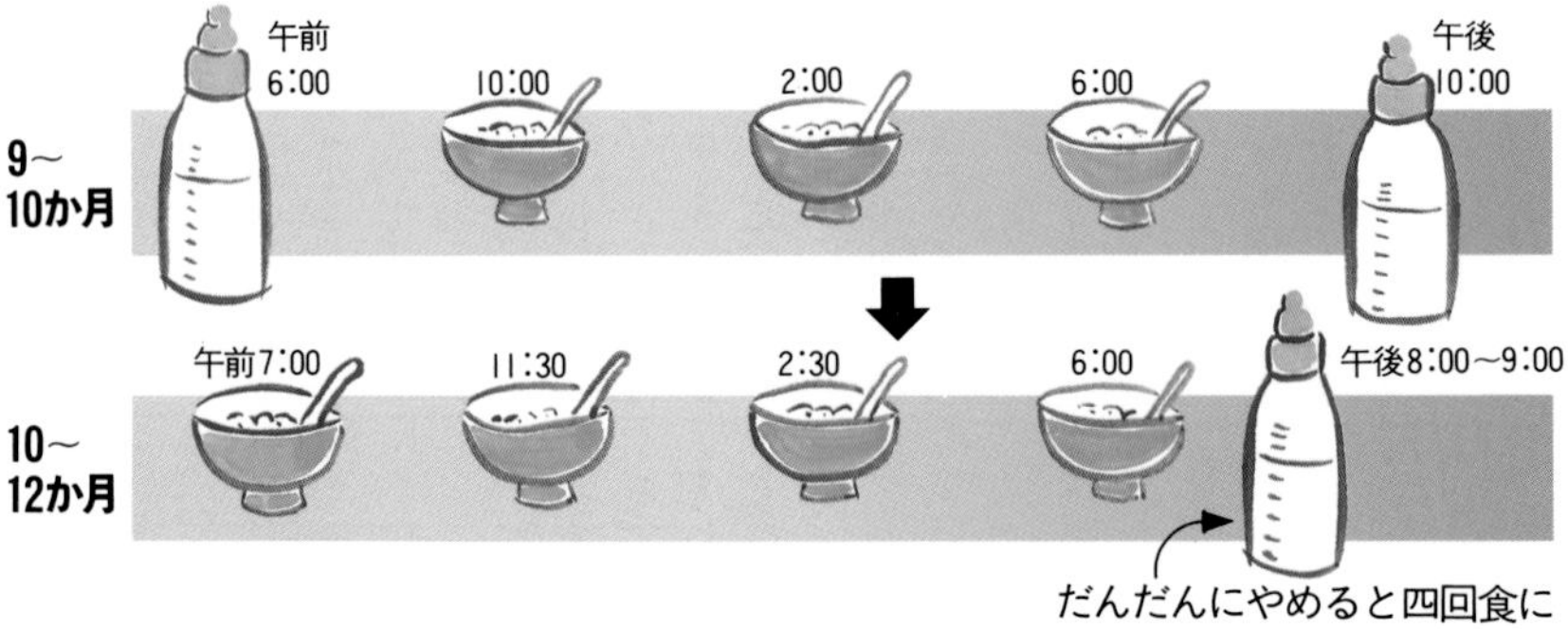

一日何回食べていましたか？

「うちの子は食欲がない」というお母さん。一度食生活の現状を記録してみて下さい。一日の、食べた時刻と口に入れたものを、水、甘みのないお茶以外は、牛乳、アメ一個、ジュース一杯、すべて記録します。

何回食べていましたか？　六回？　七回？　何はともあれ、まずおやつを一回にまとめてみましょう。

1日何回食べていたでしょう　284人の食べた回数調べ（札幌友の会子ども部）

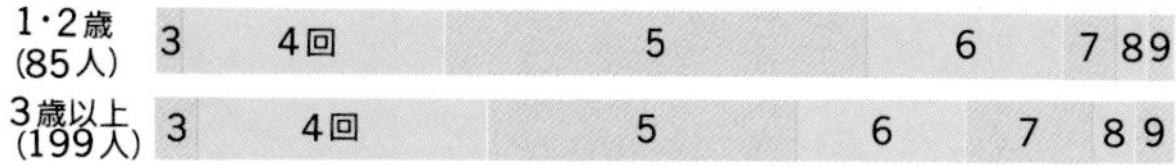

勇人君の食べた回数調べ　2か月間励んでみたら

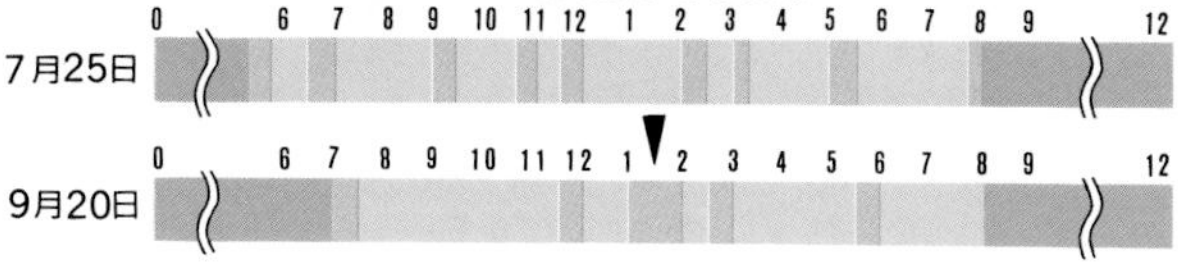

一日九回食べていたわが家　四回食をめざして励んでいます

ある夏休み、札幌友の会で一週間の食べたもの調べをしました。外出した日が三日と多かったこともあって、おやつが一日平均三～四回。多い日は三度の食事も入れると、九回も何か食べていて、一番回数が多い一人だったのには我ながら驚きました。

外出に不可欠だった「アメ」

それまで私は三人の子どもを連れて出かけるときは必ずアメをもって行きました。歩かなくなったり、ぐずったら「さあ、元気アメでも食べてもう少し頑張ろう！」と声をかけると、子どもはびっくりするほど元気をとりもどすからです。デパートに行くときも近くの大通り公園で、ラムネ、かき氷、とうきびを食べるのがたのしみで必ずねだられます。この話をすると、「出かけるときは水筒に水か麦茶を持って行くだけでずいぶん違うもの」と教えられ、これまでアメやお菓子で子どもの気分をごまかしていなかったかと、反省しました。

牛乳飲みの三男と対決して

もう一つ、九回になった原因は牛乳。うちではジュースを飲まないかわりに牛乳をよく飲み、子ども三人で一日二ℓもあけていました。これは三男が牛乳を飲まないと食事もしないので、この子だけは特別扱いにして、食事の前でも途中でも許してきたからです。でも、友の会での「小さくても本当のことはわかります」のことばに励まされ、牛乳は食後にと、ある日頑張ってみました。

「牛乳を飲んでしまうとごはんが食べられなくなるから。後で必ずあげるから我慢して、今は水だけになさい……」と。

それからが親子の対決。子どもは泣くわめくの大騒ぎ、なかなかの強情ぶりを発揮しましたが、夫も在宅の日で協力してくれ、なんとか飲まさずにすませました。不思議なもので次の日は子どもから「食べたらね」といい出しました。親の毅然とした態度が必要だったのです。

これを機に出かけるときのアメもきっぱりやめました。アメの効力も口の中から消えた途端に効きめを失い、またアメを放りこむ……のくり返しだったのですから。

私が我慢するチャンスをつぶしていたようです。また、午前と午後の二回だったおやつも三時の一回だけにしました。

食生活全体を見なおして

食べたもの調べを通して食事全体を見なおすと、母親の役割の大きいことがよくわかります。食べさせていないと思っていたおやつは回数が多く、栄養は心配ないとたかをくくっていた食事もバランスが悪く、エネルギーすら不足していたのです。

健康の元は食生活だといわれ、特に小さいときに食べたものがその人の一生の食生活の基準となると聞きます。手軽で便利なものと引きかえに、大切なものを失うことがないように。未だに毎日の食事に頭を痛め、ため息をついてはいますが、工夫を惜しまずたのしんでいきたいと思っています。

（午来玉恵　七・三・二歳）

おやつは食生活のバロメーター

四回食の大きなポイントの一つがおやつです。その子が、いつ、どんなものを食べているかを知るだけで、食生活全般がわかるといっても過言ではないでしょう。では、そのポイントは?

●おやつは一日一回とする
●親子で楽しいひと時となるよう、きちんと向かい合って
●甘いものばかりに偏らず、三回の食事を補える内容に
●手づくりのおいしさ、あたたかさも子どもに伝えたい
●市販のものは袋のままもたせず、一人分ずつお皿に

この他、ことに市販品は安全性にも気をつけたいので30頁、おやつの組み合わせは44～45頁、手づくりに気軽にとり組むために、60頁と121頁をごらんください。

決まった時間を守る知恵

五歳の末っ子は小学生の兄たちが帰ってくる前に一人で先におやつをすませます。ところが兄たちのおやつの時間になるとまた欲しくなるので困っていました。

そこでお皿に三人分をとり分けるのを子どもと一緒に、「これはお姉ちゃんの」「これはお兄ちゃんの」とさせてみました。自分で分けてお皿に入れたので納得できたらしく、兄たちが帰ってくるなり、「今日のおやつはケーキだよ」と自分から出して、自分はもうすんだという顔です。幼い子どもでも責任をもつと、納得し我慢できるのだと思いました。

（次田栄子　五歳）

子どもにだらだら食べはさせたくないけれど、「いけません」といわれればもっと欲しくなるようです。あと少しでおやつというときに、「お菓子ちょうだい」「アイスちょうだい」が始まると、「待って」「待って」ではどうしても止まらない。「おいしいとうもろこしができるからもうちょっと……」とたのしみにさせる声をかけたら、我慢していました。気のむけ方、声のかけ方ひとつも大事ですね。

（田代佑子　五歳）

お菓子箱を決めて

近所でお菓子をもらったときの対策です。ふだんからきれいなお菓子箱を用意しておき、もらったらとりあえずそこに入れさせ、おやつの時間に食べることにしています。こうしていると「〇〇さんとこは行儀いいから……。うちの子はとてもあとでなんて無理。」といわれます。でも、これは行儀ではなくて「今は食べる時間でない」「あとで必ず食べられる」の二点のしつけかと思います。

（黒田佐紀子　六・四歳）

子どもの様子をよく見て夕食にさしつかえないように

小学生の兄と姉がいますので、おけいこによって夕食が六～七時の間でばらばらになることが多く、おやつはその日の夕食時間に合わせて重いもの、軽いものに分けて与えます。

（山田乃生枝　三歳）

三歳の娘はどちらかというと食が細く、よっぽどお腹がすいていない限りパクパク食べません。今日もおやつにスィートポテトをつくっていたらつい遅くなり、その上お芋を80 gも食べてしまったのがこたえて、夕食が入りませんでした。おやつは子どものようすと時間、分量などの兼ね合いをはかるのも大切と思いました。

（原節子　三歳）

おやつのたのしみも忘れずに

「おやつも四回の食事のうちの一回。でもたのしみの部分を添えて」

おばさんたち、お菓子を見せながら「あげていい？」ってきかないで！

1歳の夏、気をつけよう牛乳の飲みすぎ

そんな位置づけをしています。

私が子どもの頃、おばあちゃんが小さなりんごの皮を途中で切れないように細く長くむくのを、弟と二人じっと見つめていたことを思い出します。単に空腹を満たすだけではなく、心の満たされるおやつでありたいと思っています。

また、おやつをつくることもたのしみのひとつです。

白玉だんごは子どもと一緒につくります。ハート、リボン、かたつむり……思いがけないおだんごが生まれます。野菜のペーストをまぜれば色とりどりに。くだものを切って盛り合わせるとフルーツポンチのでき上がり。

（森本真理子　六・四・〇歳）

数を覚えたり、大きさ重さをものさしやはかりで計ったりすることなども、おやつのときに子どもと一緒にしました。食事の時間とはひと味違う、とてもたのしいときです。

（伊与部典子　八歳）

手を洗い、きちんと座って

よそでおやつをいただいて帰ってきても「おやつちょっとしか食べていない」といいます。聞くと、おせんべい、アイス、アメなど結構な量なのに、遊びながらでは食べた気がしないらしいのです。おやつも時間を決め、手を洗い、きちんと椅子に座らせ、私も一緒にいただきます。こうすると子どもの心も満足するようです。

（舛岡幸子　四歳）

外出には水筒を家にはジュースはおきません

子どもがのどが渇いたというので「お水かお茶を下さい」とお願いしても、牛乳やカルピスが出てくる。食事前なのに何も考えないようすで出される家が多く驚きです。ふだんの外出には、お茶か麦茶の水筒を持っていくのですが……。

（是友美恵子　三・一歳）

「おばさんちって、ジュースもサイダーもないの?」と近所の子どもたちがよく聞きます。一缶25～30gもの糖分が入っているジュースは頻繁に飲ませたくありません。家にあれば飲みたがりますから、やっぱり置かないに限ります。

（鈴木恵子　四歳）

手づくりは簡単なものから

私は不器用なのでさっさとつくれない。子どもを怒ってまでもしたくないので、今は子どもと一緒にできるもの、さっと簡単にでき上がるものぐらいしかつくりません。おやつにおむすびも結構喜びます。

（名川加代子　七・四歳）

おやつ＝甘いもの、という考えをやめたおかげで、煮干しでも炒り大豆でも高野豆腐の含め煮でも、暑い夏なら冷奴だって「わぁーおやつだぁ」といって喜んで食べる。間食をさけて空腹の状態で食卓に向かわせたことも手伝っていると思う。

（大橋定子　二歳）

市販のものを買うときは

市販のお菓子でおやつにするときは、子どもの器に適量とり、くだものと牛乳を添えます。テーブルにきちんとついていただきます。

（山本昭子　三・一歳）

子どもたちにはお店に並んでいるおまけ付きの箱菓子が羨望の的、ときには子どもに好きなものを選ばせます。私が表示を確かめて買うのを見ているからか、ひっくり返して眺めたりする姿はかわいいものです。市販のものは、日頃家で使わない着色・着香料のあるのがわかります。（岡崎ゆり　三歳）

子どもは周囲のバランスの中に

私たちの毎日は、ひとつのことばかりに気をとられていては、快くすごせないことが多いようです。ことに育児期の生活は一方向からの努力ではなく、バランスよく。食生活でいえば、時間厳守だけではたりないし、栄養だけととのっていてもだめ。下の絵のように、お母さんの労力などすべてのことを考え合わせます。ただ、その中心は子ども自身だということを忘れないようにしましょう。子どもをよく見て、その周囲に家族や人の輪があることも大切に。

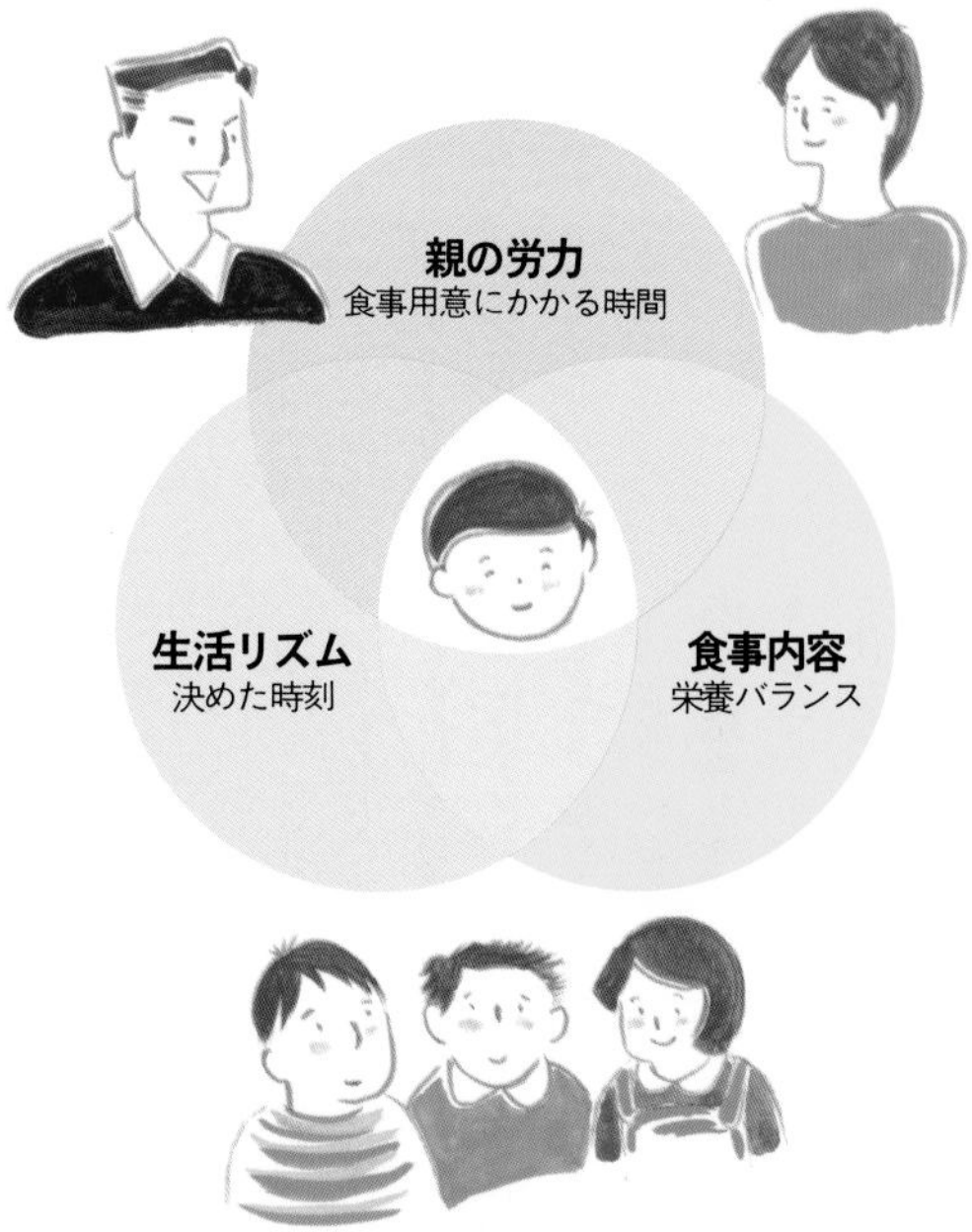

リズムを第一に　臨機応変

子どもが一歳になったとき、初めて四回食の本を読み、おやつの大切さ、毎日の食事時間を守ることの意味を知り、考えたこともなかったことだったのでびっくりしました。人間の基礎となる幼児期だからこそ、よい習慣を続けていこうとする強い意志と、たまには、缶詰や冷凍食品で手ぬきもするおおらかさとのバランスをとりながら、今日も台所に立っています。

（西内昌子　三歳）

六〜六時半までに夕食の準備ができないときには、とりあえずちりめんじゃことごまのおにぎりを食べさせます。このときにお菓子を食べさせないと心に決めているからで、おかずはあとで食べさせます。

（坂花子　七・五歳）

いっとき、私の頭が固く、特に昼、夕食の時間が気になって、友だちと遊んでいるのをむりやり中断させて帰宅することがあった。今は基本時刻をおよその目安にして、あまり神経質にならず、その場、その時に臨機応変に対応して五〜十分の食事時間の違いより、子どもの意志の尊重、生き生きした活動を、と心がけている。

（伊藤仁美　一歳）

ある先輩から、六時を食事時間と決めたら、品数がたりなくてもできた分だけを出すという話を聞き、なるほどと思ったことがあります。

子どもには何より生活リズムが大切で、決まった時間になったらきちんと食事になることも大きなポイントだと思います。そのため、時間時の流れを仕事で区切らず、時間で区切るようにしています。

（日浦宏子　六・三歳）

リズムある生活がいかに大切か、痛感しています。「決めた時間に食べる」「栄養を考えた献立を立てる」「料理する」を一度にするのはむずかしいもの。小さな子どもをかかえている母親がまずしたらよいのは、「決めた時間に食べる」こと。時間がないときは牛乳とパンだけでもよいから、食事時間を守ることから始めたらよかったと、今振り返ってつくづく思います。

（谷耐子）

近所づき合い

幼い子どものいる家庭同士はお友だちになれるきっかけが多く、生きた情報交換の場になります。その中で私は、自分がしてみてよかったことは人にもすすめます。例えば、夕食のおかずづくりを早めにすること、外出のときは、下の子どもの分もお弁当をつめておくと、昼食が早くできること。また市販品のおやつはせめて添加物の少ないものにしたいという話から、皆で生協に加入したり、「この料理は、子どもが喜んで食べたのよ」といった会話がとびかったり、おやつをさしあげるときは、分量とつくり方つきだったり……。

お昼はファーストフード？
簡単でも家で食べてお昼ねしたい

子どものためにも、自分のためにも近所づき合いを大切にしていきたいと思っています。

（福田勝子　四・二歳）

朝仕事を終えて公園で外遊び、十一時頃になると、娘の咲は、「おなかすいたからかえる——」といい出します。お友だちに「咲ちゃんのお昼早いね」といわれながらバイバイ……。

遊びたりない日は「まだ帰りたくない」と友だちからはなれません。でも十一時頃になるとおなかがすいてくるからか、夢中で遊んでいた子どもたちの間にちょっとしたけんかが起こります。ある日、咲がお友だちの耳元で、「一緒にお昼食べようか」と誘いました。「みんなで食べるとおいしいね」とにぎやか。

こんなことをくり返しているうちに、お友だちもだんだんとお昼ごはんの時間が早くなってきたようです。

（高松玲子　七・二歳）

うちは来客が多く、いつもにぎやかです。

時間もいろいろですから夕飯の支度時間になったら、「子どもには六時にはごはんを食べさせたいから、ごめんなさい……」といって一緒に台所に入ってもらい、お料理しながらおしゃべりします。また、子どもの友だちにも、六時近くになった場合は、お母様のお許しを得て一緒に夕食。私も一か月に一回ぐらいは娘以外の子どもたちと食卓を囲むのがたのしみです。

（松尾梅代　六歳）

お父さんとの関わり

〝夕食はお父さんも一緒に〟ということが私の頭からはなれず、おなかがすいて待ちきれない子どもに、何かしら食べものを与えてがまんさせ、七～八時頃家族揃った夕食にしていました。でも、話題が夫中心になったり、子どもがぐずりはじめたりで、落ちつかないことも多い毎日でした。

そんな頃、友の会に入会して〝六時に夕食を〟のすすめを受け、驚きつつも二人の子どもを相手に実行してみました。やってみると下の子どもが朝は六時に起きだし、落ちついて早く眠るには、ひと足先の夕食にすることが必要なのだと実感できました。

その後、遅れて一人で夕食をとるお父さんの食卓に、子どもが笑顔で寄っていき、なごやかなおしゃべりがきかれるようになりました。思いがけない形で家族の団らんができていたのです。夫も「子どもの笑い声で、疲れがとれるね……」と口にするこの頃です。

（坂田光子　三・一歳）

うれしいのはこの父親の理解。「会社の若い子を見ていると、インスタントラーメンやお菓子ばっかり買ってくる。これから子どもを育てる人たちが……」——そう思ったときに夫は、私が家で励んでいる四回食の大切さがわかったそうです。最近は「早くねかせなさい」と協力的です。

（及川水無子　五歳）

台所から育つ生活教育

食卓を囲むときのことだけではなく、買いもの、料理、片付け、さらにはその食品の産地や旬を知ることなど、子どもも食事づくりに参加する姿勢は、先々の生活力、家族で協力しあうことなど、何にもかえがたい力を育みます。食生活は家庭教育の土台ともいえるでしょう。

お手伝いに興味をもちはじめたら、危ないと止めないで。ふだんお母さんの仕事をよく見ている子どもの手は、驚くほど確かです。

手づくりが育てる心と体

長男が生まれてからつき合いはじめた四回食。あまりに本どおり励みすぎて失敗した時期や、年子をかかえて思うようにできなかったときをのりこえて、やっと失敗しても平気、できなくてもがっかりしない、これでいいと信じて、今度はこうやってみようと工夫をたのしんできました。

四回食のリズムでしっかり遊び、しっかり食べてぐっすりねる……そうしているとしぜんにねる時間、おきる時間が決まってきて気持ちよく、子どもたちだけでなく私の心にも余裕がでてきます。

実は私も三十余年前、四回食で育てられました。出産以外入院したことがないこの健康な体は、母からの大きなプレゼントだったと感謝しています。私も同じように、将来を担う子どもたちのために、添加物の少ない安全なもので食事をととのえ、医療費よりも食費をと思ってやってきました。そして、食事というのは、本当に食べるだけの事でない、つくる過程も大切な家庭教育なのだと分かってきました。

子どもはつくる過程を見て、ものの大切さを知り、一緒につくることで食べるたのしさを味わって、感謝して残さず食べることを覚えます。うちではコロッケやぎょうざは一家総動員でつくりますし、冷蔵庫の片すみの残りものやくず野菜からのアイディア料理、それに心のエッセンスも加えると「これ何だ!?」の大発見メニューが生まれます。……苦労したら工夫も多く、それが自分の力になり、ひと言ではいいきれない育児のたのしさを感じます。

心をこめた手づくりの食事から、子どもたちとの会話も弾みます。

長男（九歳）が友だちに「うち、レストランしとらんけど、母さん食事づくりの腕はあるんよ。いちど食べに来いヨ！」

つくるの大好きの次男（七歳）は「敬老の日じゃけん、おじいちゃんの顔をクッキーでつくって宅急便しよう」「今日はぼくが目玉焼きつくるけん」――

三男（三歳）は「卵わり、やりたい」「まぜてあげる」――泡立てはいつも彼の仕事です。

この三人の子どもが揃って〝無欠席とむし歯なし！〟これは九年間、四回食を続けた神さまからのご褒美だと思っています。

（中野直子　九・七・三歳）

こんなことしています

お米とぎ

おにぎり
「私がにぎる役、子どもがタイミングよく梅干しを入れる役……」

お好み焼き
野菜を切る、粉をまぜる、焼く、裏返す、味をつける——

パンつくり
ぎょうざ包み
フライの衣つけ
子ども３人が手伝ってくれるとやっぱり早く、大助かり。

卵わり・卵とき・茹で卵の殻むき

筍・とうもろこしの皮むき
豆のさや出し
青梅の穴あけ（ジュース用）

よもぎ摘み
子どもにも人気のある、季節をたのしむ仕事

お菓子つくり
道具揃え、粉、砂糖の計量、種つくり、型ぬき、泡立て、etc.……

お味見
ちょっとお味見しただけなのに、よく食べること——

焼き芋
庭の枯れ葉を集めて

テーブルセット
お箸は誰、ごはんは誰と決めて、食事中も同じ係です

食器下げ
お皿ふき
買いもの
ごみ出し

くだもの・野菜を洗う
野菜の皮をむく・切る
きゅうりの切り口が汗をかいてきれいなこと、れんこんが糸をひくことなど見せながら

子どもも食に参加を

「お母さん、まだぁ」といってゴロゴロテレビを見ているときは、近くに呼んで調理を手伝わせます。そして食べものは簡単にはつくれない、野菜の種まきから自分の口に入るまで、多くの人の手と時間がかかっていることなどを話しながら、だから感謝して食べようネ、とも。（名取弓子　五・三歳）

市場では生きた魚や干ものの山に驚き、慣れたスーパーでは子どもに「牛乳2本頼むね」とか「今日の青い菜っぱは何があるかな？」と手伝ってもらいながら、親子共にたのしく買いものをしています。（野中道子　七・三歳）

家庭菜園があるので、毎日遊びがてらその日に使う分だけ野菜をとりに行ったり、手入れをしている。子どもも土いじりをしたり、友だちとかけっこをしてたのしんでいる。（衣川清子　十・八・二歳）

こねたり形をつくったりするのが大好き。包丁も最初にきちんと教えれば大丈夫。親にその気さえあればたいていのことはできます。ただし、食べものですから遊び半分はお断り。もったいないことをしたらピシャッと叱ります。後片付けも忘れず一緒に——。（芦田ひとみ　五・三歳）

娘に伝えたいこと

カレーやシチューのときは、主食がごはんでも最後にパンをひと切れわたします。忘れていると子どもから「お皿のパン！」と催促。お皿をきれいにふきとってパンを食べ、「ごちそうさま」。後片付けのこともありますが、丁寧に食べることやもったいないということを教えたくてしています。ごはんは最後のひと粒まで、おかずも食べちらかしはだめ。欲ばってとりすぎないこと、どうしても残すときは、すみにきちんと寄せて。

現在の食環境は決して恵まれているとは言えず、しっかりした選択眼をもたねば健康を害しかねない状況です。そんな中で、私が少しずつ積み重ねたものを三人の娘にも伝えてやりたいと思います。伝えたことがその夫となる人、生まれてくるだろう子どもたちにも影響を及ぼすと思うと、ファイトがわいてきます。（森本真理子　六・四・〇歳）

困った問題

答える人　風間佑子　市毛弘子（婦人之友社乳幼児グループ育児相談担当）

食欲がない・少食

●食べる量が少なく、追いかけて口に押し込むこともある。（T・H　一歳六か月）

●食が細くて悩んでいる。外出時も幼児用のおべんとう箱なのに、半分くらい残してしまう。（H・K　二歳）

●全般的に食が細くて困っている。朝食はパンと牛乳だけで、おかずには手もつけない。（S・H　四歳）

子どもの食べる量は、一定ではありません

幸いに今の日本では、家庭の食事が一日三度、きちんと手づくりされていれば、栄養失調にまずなりません。

夏はほとんどの子どもが食がすすまず体重もあまり増えませんが、そのかわり背が伸びていることも多いのです。また幼児期には、食欲の中だるみとでもいうような時期がときどきあり、一歳までの急激な成長が少しゆっくりになる時期に食欲が落ちるのは、しぜんなことです。

本当に少食なのか、チェックしてみましょう

目安量以上に多く盛りつけていませんか？　目分量でなく一度はかりで確かめてみましょう。少なめに盛りつけて食べたらおかわり、という方が負担にならず、全部食べる励みになりやすいものです。

間食が多くはありませんか？　お菓子や、ジュース、牛乳などでおなかを満たしていては、食事は入りません。外で遊んでいますか？　体を動かさなくてはおなかもすきません。

生活のリズムは？　早ね早おきして、食事と食事の間は三〜四時間あけましょう。朝食は、起きてすぐでは食欲が出ません。

一人ぼっちで食べさせていませんか？　大人でも一人で食べるのはつまらないものです。たのしい食卓を。

子どもが自分で食べていますか？　いつまでも食べさせてもらっていると、食べようという意欲がわきません。

目安量を食べきれなくても、バランスがよければ大丈夫

●品数を多く量を少なくして、きれいに食べられたという満足感を。嫌いなものでも少しなら頑張る気持ちも出るし、栄養も偏らない。食べられたら喜んでまたおかわり。（M・Y　一歳十か月）

●食が非常に細いが、健康。お友だちと一緒だと食欲も出るようなので、ときどきみんなで一緒に食べる。（N・H　一歳十一か月）

●食欲が落ちているときは、目先を変えてお子様ランチ風、和食風など盛り方を工夫、ナイフ、フォークをセットしたり、ランチョンマットを敷いたり。「レストランみたい」と喜んで食べる。（T・S　三歳）

●二歳の夏に、食事に時間がかかるようになり、好きなものばかり食べて、苦手なもの、特に野菜はきゅうりとトマトしか食べなくなこれらのことができていて、それでも少食の子どももたくさんいます。栄養所要量の数字は、このくらい食べればたいていの人には充分という量ですから、そこから割り出した目安量を食べきれない子どもは、かなりいるのです。栄養のバランスさえとれていれば、食べる量が少なくても、体重が少ないなりに増えていて、にこにこ元気に動き回っているでしょうから、心配はいりません。

無理強いはやめましょう

「食べなさい」と怖い顔は、食欲を無くさせます。

食事を用意し、生活リズムをととのえるのはお母さんの役目ですが、実際に食べるのは子どもに任せましょう。

いつもと違う、と思ったら診察を

なんとなく元気がないと思ったら、病気の有無を確かめましょう。冷暖房による空気汚染、暑さや疲れ、弟妹の誕生や引越など、環境の変化が原因となることも。

って、食事の時間が苦痛だった。三歳になった今年は何でも「おいしい」と食べるので、あんなに悩んだのが懐かしいくらい。そのときのことを思い返してみると、かかりつけの医師から「この子は発育がよいから、ちょっとくらい食べなくても大丈夫」といわれたのを頼みに、食べなくても片付けた。

食べないときは「おいしいのに、残念ね」という程度で、大人は同じものを残さず食べた。食事以外に何か食べさせることはしないで、おやつの時間には食べなかった野菜を一緒に出した。外食や、よその人と一緒の食事、外でおべんとうのときなど、いつもと違う雰囲気のときは、野菜もちゃんと食べていた。

（T・R　三歳四か月）

少食を心配しつづけた三年間

有坂　順子

「体重増加不良」要観察――娘の一か月健診の結果は、大変なショックでした。ミルクの飲みが悪く、毎月計るたびに発育曲線を下回り、通院のたびに「精密検査を」「食欲増進の薬を」とすすめられます。なぐさめられたのは、老医師の「体質でしょう。痩型、少食のお父さん似かな」のことばでした。

離乳食も、幼児食になってもほとんど食べません。まぜご飯にしたりミキサーを使ったり、高たんぱく高脂肪のものをと手を変え品を変え、部屋や食器を変え、音楽をかけ、歌を歌ったりしても、どれも駄目。その上おやつをひと口ふた口でも食べると食事はほとんど食べないという状態です。食事の時間がくるたびに胃が痛くなり、この先元気に生きていけるのかと心配で心配でたまりませんでした。

いま考えると、味に敏感で繊細な子なのでしょう。白魚の小骨まで口から出すくらいですから。甘いものや油っぽいもの、まぜたものは嫌いで、こんにゃく、筍、椎茸など低カロリーの食品を好みます。一週間の食事調べの結果は、「量は少ないが、栄養バランスは大丈夫」いく分かは安心しました。

三歳でやっと体重曲線にのり、いつの間にか「食べなさい」といわなくなりました。無理強いと思えるほどの努力をしたからあの時期をのりこえられたのか、逆にますます食べなかったのか……。夫は、あの努力があったからこそ、健康を保ってこられたのだといいます。

ある日、体操教室の帰りに「ママ、おなかぺっこぺこ。何か食べたいよ～」もうれしくて、すぐパンを買って与えました。「おいし～い」初めてのことばでした。

四歳の今も痩せていますが、元気です。幼稚園のおべんとうもひと口かふた口しか食べない日も、きれいに食べてくる日もあります。たのしそうに食事をする姿は、以前には、想像もできなかったことでした。少食に悩むお母さんたちに「少食でも健康なら、それも一つの個性ですよ。心配しないで、でも手ぬきはしないで」と応援したい気持ちです。

好き嫌い・偏食

●嫌いなものは口に入れてもプーッと舌で出してしまう。（K・H　一歳）

●ひどい野菜嫌いで「イヤ」と口をかたく結んであけない。（H・A　二歳六か月）

●少食なのに塩辛いものが大好物。漬けもの、梅干し、イクラなど、ごはんなしで夢中で食べる。（U・K　三歳二か月）

「この野菜食べたらお食後あげる」などの交換条件は決して通じず、強情に泣きわめいて好きなものだけ食べる。「これ嫌いだから食べない。ぼく困った子になってもいいの」と、開き直りが一番困る。（S・K　三歳四か月）

●大好きな漬けものだけでごはんを食べる。塩分をとりすぎるし栄養も偏るので、食卓に出さない。（T・K　二歳二か月）

●ピーマンなどひと口だけ食べれば残してもよいことに。そのうちいわれなくてもすべてひと口食べるようになり、今では残さない。（I・T　三歳七か月）

●好きだったブロッコリーは今では嫌い。嫌いだったきぬさやは畑で収穫して以来「ぼくのとったお豆」と食べる。嫌いときめつけずに食卓に出し、親がおいしそうに食べるとつられて食べることも。（S・Y　三歳十か月）

●嫌いな野菜も調理法を工夫。大好きなフライや牛肉巻きに、ほうれん草はコーンをまぜるなど。（Y・M　四歳三か月）

●二〜三歳の頃は好き嫌いが多かったが、年ごとになくなったので、無理に食べさせる必要はなさそう。野菜は生より煮た方が食べやすい。（O・A　五歳）

嫌いなものは無理強いしない

「食べなさい」とお母さんが構えていては、食事が苦痛になってしまいます。にんじんが嫌いならビタミンAはかぼちゃやほうれん草で、かたまり肉がだめならひき肉や魚などでたんぱく質をと考えましょう。好物の量を制限して嫌いなものをひと口でも、という工夫も大切です。

子どもの好みは変わるので、苦手と決めつけないこと

「嫌い」といったものでも、調理方法を変えたり、忘れた頃にまた出すと、案外食べるものです。

肉類は嫌い、野菜は一切食べないなど極端な場合は

お好み焼きや炒飯のように細かくしてまぜてしまう、にんじんケーキのようにお菓子にして食べなれたら「にんじんケーキおいしいね、バター煮のにんじんも食べてみようか」とすすめてみましょう。野菜嫌いは匂いが気になる子も多いので、和らげる工夫を。

食事に興味をもたせ、たのしい食卓を

お友だちと囲む食卓は、嫌いなものも皆と一緒の勢いで。自分で洗ったり切ったりすると、食べることもあります。

飲みこめない・かめない

ゼリーなど柔らかいものを好み、かむのが下手でのどにつまらせる。野菜は細かくても出してしまう。（M・M　一歳九か月）

●もごもご口を動かしているだけで飲みこめず、口の中にためていたが、公園での外遊びが増えたら「おなかがすいた」とよく食べるようになり、そんなくせもなくなる。（K・N　三歳五か月）

飲みこみやすい調理を、勢いよく食べられる環境を

年齢が小さいほど、小さめに切る、柔らかめに煮る、とろみをつけてのどごしをよくするなどの工夫を。一緒に食べながら「かみかみごっくん」と声をかけ、して見せるのも効果的です。繊細な子に多いので、外遊びをたっぷりしておなかのすくような生活や、友だちと一緒に外でおべんとうを食べるなど食事環境をととのえましょう。

牛乳やジュースばかり欲しがる

●四か月頃からジュースやイオン飲料の味を覚え、お茶や水、牛乳を与えると泣きわめいて怒り、絶対飲まない。食事の間の水分摂取量が多くておなかがすかないためか、遊び食べが多くなった。（S・T　一歳六か月）

●一日に牛乳を哺乳ビンで600〜800cc飲み、ほんとうに食べない。顔色が悪いので受診したら貧血。（M・M　一歳九か月）

ジュースは買わない決心を

水、お茶以外はカロリーがありますから、食事にさしつかえます。冷蔵庫に常備してあると欲しがるので、一度すっかりなくして「ないのよ」と納得させましょう。

牛乳は一日の所要量を守ること

牛乳はコップ一杯でごはん茶碗一杯分のカロリーがあります。ごはんを食べなくても、牛乳さえ飲んでいれば安心というお母さんもいますが、やはり栄養が偏り、特に鉄分が少ないので、貧血ということもおこります。

一歳になったら哺乳ビンはやめてコップに変えます。これだけでも飲む量が減るので、食欲が出るでしょう。「牛乳は朝ごはんとおやつのときだけ」ときっぱりと約束し、飲みもので食事を流し込む子には「かみかみごっくん」の指導を。流し込むとよくかまないので唾液が充分に出ず、水分が必要になる、と悪循環になります。虫歯を防ぐ意味からも「食後は麦茶か水」にしましょう。

●ジュースを欲しがって冷蔵庫の前で泣き叫び、つい飲ませていたら下痢。「冷たいものの飲みすぎ、果汁100％でも糖分が多すぎる」と注意されミネラルウォーターに。ほかにないので飲むようになった。（M・Y　一歳十一か月）

●二日間の大泣きで、哺乳ビンを卒業。一日500〜600ccのミルクが300ccに減り、食欲が急に出た。（S・Y　一歳五か月）

●食が細く、つい食事中も牛乳を与えていたが、200ccでごはん一杯分のカロリーと聞き、反省。朝食と、おやつか昼食の二回にする。（S・J　二歳十か月）

太りすぎ・食べすぎ

●一歳四か月で12.2kgになり、発育曲線の90パーセンタイルをこえる。母が太めなので気になる。（O・A　一歳四か月）

●四歳の姉より多く食べ、体重も15kgと多すぎ。子どもだけ早めに昼食を食べさせているが母が食べているとまた欲しがる。食べものへの関心を遊びなどに移したい。（H・M　一歳六か月）

赤ちゃん時代の太りすぎは、まず大丈夫

標準体重に対し20〜30％増が軽度の肥満ですが、体重が重くても身長も同じ曲線で増えていて、体もよく動かしているならあまり心配いりません。幼児期になれば運動量がふえ、体つきがしまってくるものです。

食生活を省みて　外遊びをたくさんさせる

どうみても太りすぎ、運動不足が習慣化している場合は要注意。小児成人病を引きおこす肥満につながりやすいのです。けれど、子どもに「太るから食べちゃだめ」というのはかわいそう。高たんぱく、低脂肪で野菜たっぷり、満腹感のある食事を用意しましょう。また家族全体の食生活を見直して、目安量をこえていないか、くだものやお菓子など間食が多くはないか、食べながらテレビを見るような生活習慣はぜひ改めて、外遊びをさせましょう。

●ミルクをたしはじめた三か月頃から太りはじめ、みるからにおでぶさん。これでは大変と、野菜を多く、好きなスィートポテトもバターも砂糖もひかえてふかし芋に。食事をしっかり食べるので、間食が多かった親も我慢しておやつぬき。ヨーグルトも無糖のものにたまにくだものを入れる程度にした。

運動も大切と、買いものも自転車は使わず一日一時間以上歩き、公園で二時間は遊ぶ今は体重は重いが体つきはよくしまっている。（O・A　二歳）

歯のためによい食生活

野間 歌子
（小児歯科医）

むし歯になりやすい食品は？

子どもたちの好きな甘みの代表、砂糖はむし歯の大敵ですが、その含有量などにより、むし歯のでき方に違いがあります。図1は、歯垢や酸のできやすさ、口に入れてからのみこむまでの時間、のみこんでからも口に残っている時間などから、むし歯を誘発しやすい食品を表にしたものです。

この表を見ると、砂糖含有量が多く、歯にくっつきやすいキャラメル、ガムなどが、歯によくないことがわかります。それに比べ、ジャムなどはパン等と一緒にかんでのみこむこと、アイスクリームは脂肪を含み口の中を速く通過するため低くなっています。

だらだら食べはむし歯のもと

また、砂糖を料理の味つけに使用した場合や、食事中にとった場合にも影響が少なくなります。図2は、食事中にのみ砂糖をとった人たちと、間食にも砂糖（トフィー）をとった人たち（共に成人）のむし歯のでき方を比較したものです。食事中ではわずかな増加ですが、間食にとると急激に増えることがわかります。

一日に食べる回数も影響します。図3は、一日中だら

むし歯になりやすい食品は？（図1）

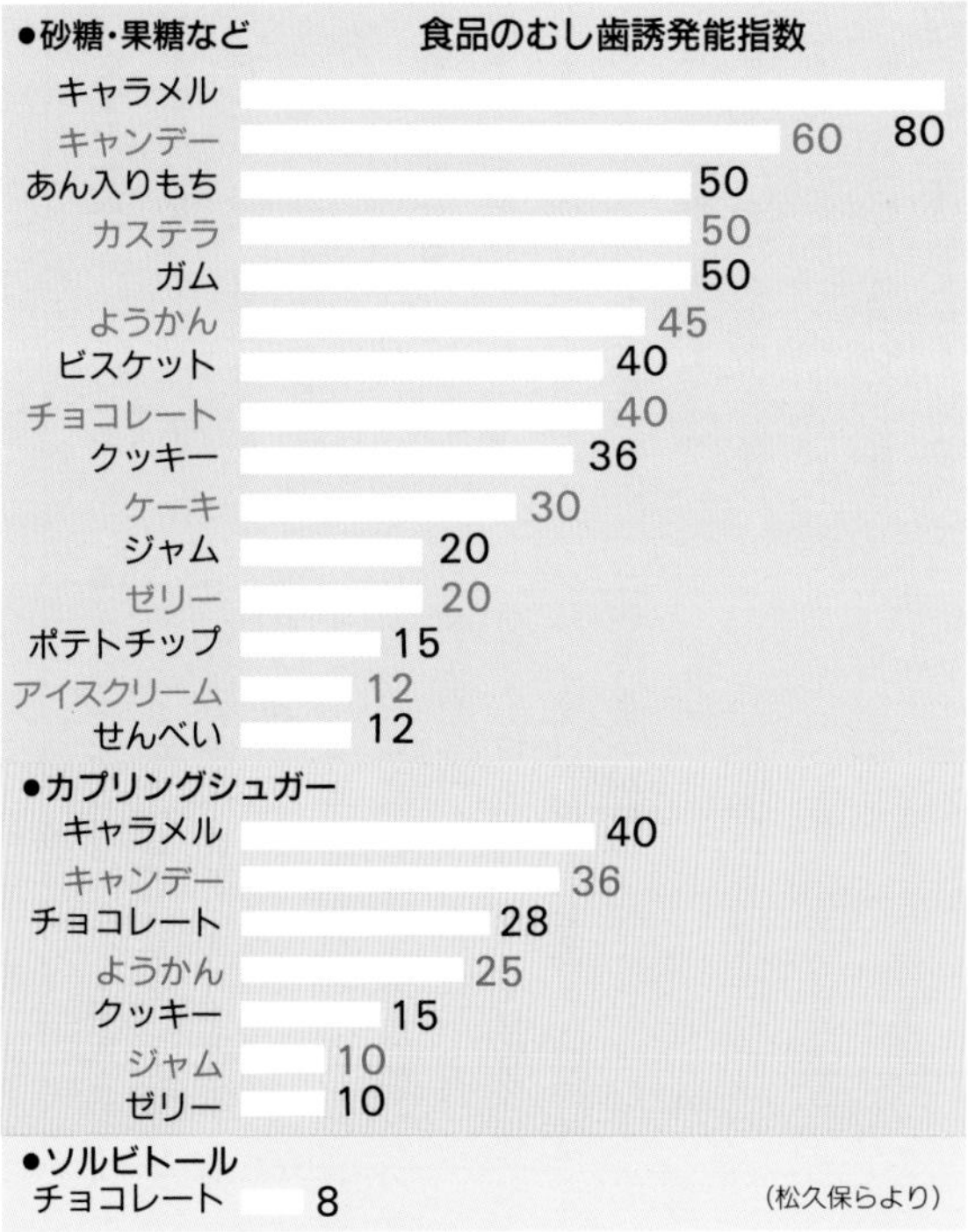

間食とむし歯の増加数（図2）

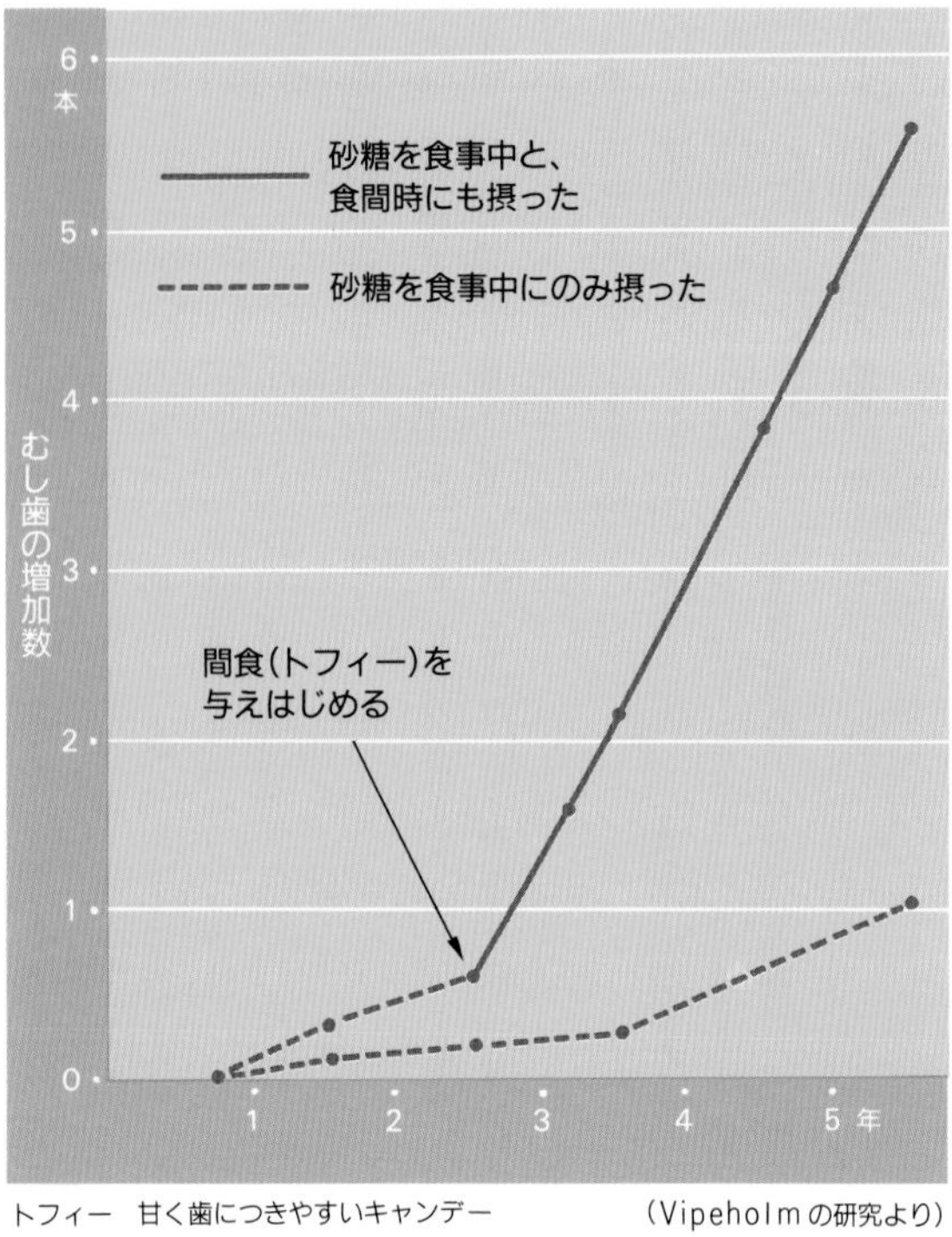

トフィー　甘く歯につきやすいキャンデー　（Vipeholmの研究より）

だらだらと食べた場合と、一日四回食の場合との、歯の上の酸の発生状態の変化を表したものです。だらだら食べはむし歯発生のチャンスが多くなることがわかります。実際に調査でも、むし歯の増加がはっきりしています。

歯をとかす清涼飲料・スポーツドリンク

酸味のある清涼飲料水やスポーツ飲料、乳幼児のイオン飲料などの酸度はpH３以下で、歯をとかすのに充分なのです。口の中に残る時間は短いのですが、哺乳ビンで時間をかけて飲んだり、だらだらと何回も飲み続けるとむし歯の大きな原因になります。イオン飲料を水がわりにのませるお母さんが多いのですが、下痢などの脱水症状を防ぐ場合のみにし、常用はさけましょう。

よい食習慣がよい歯をつくる

繊維の多い野菜やリンゴなどをサクサクかんだり、食後、水やお茶を飲むことにより、しぜんに歯の上のかすを除くことができます。このように食事のメニューとして上手な食品の組み合わせ、食事の回数などのよい習慣は、歯のためにもたいへん意味のあることなのです。

いろいろな食べものをよくかんでのみこむ経験を、幼児の頃に体験させたいと思います。よくかむことは、あごやかむ筋肉の発育を正しく導きます。成長してからのむし歯、かみ合わせ、歯周病などの問題も、幼児期の食生活習慣が大きくかかわることが多いのです。

北九州友の会幼児生活団の調査（図4）はこのことをよく表しています。生活団でよい生活リズムを身につけた子どもたちは、成長後もむし歯の数が平均よりたいへん少なかったのです。

幼児期の食生活と成長後のむし歯の関係は？

１人平均むし歯の数（永久歯）　（図４）

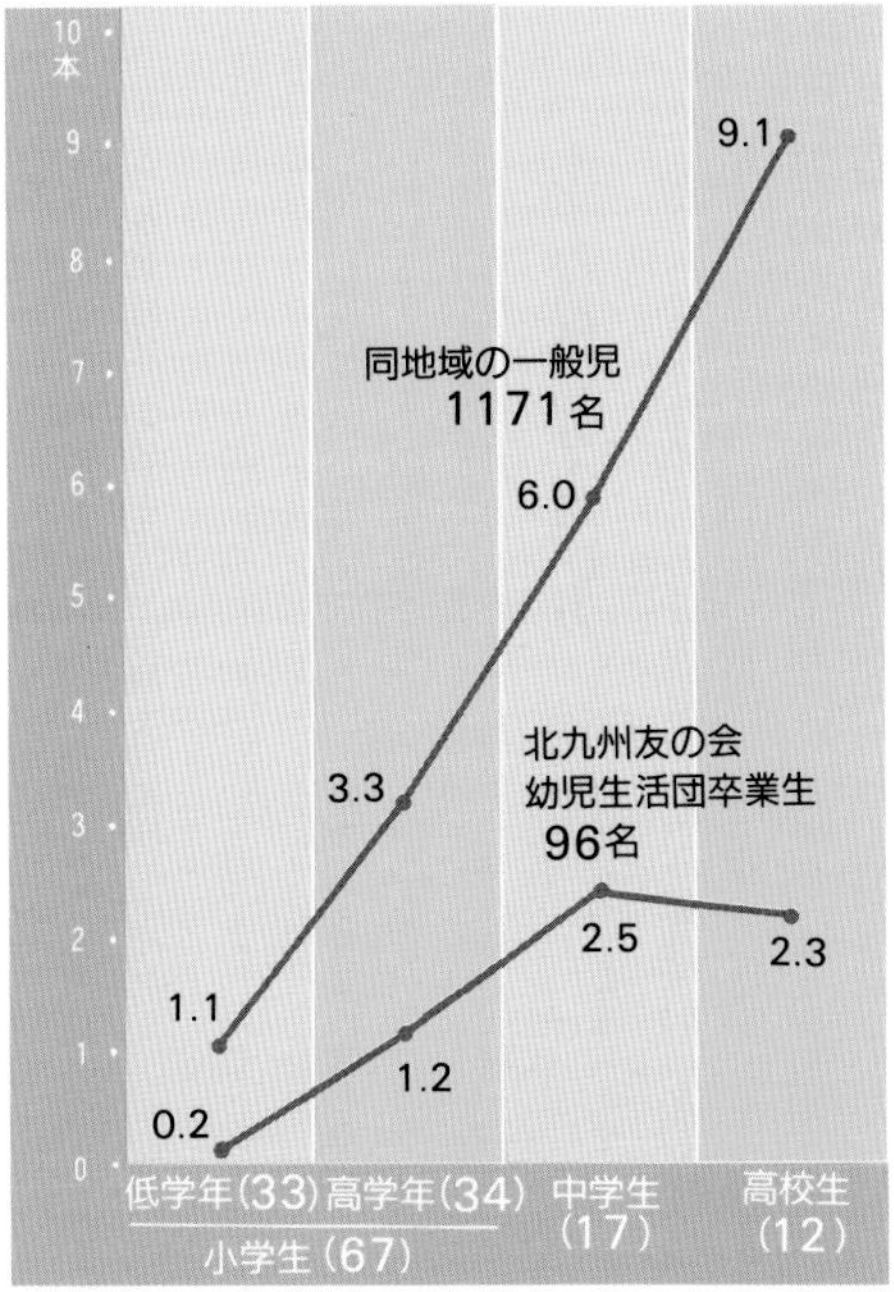

（　）内の数は調査に参加した生活団卒業生数　（中村修一より）

だらだら食べと４回食の歯の酸の発生状態（図３）

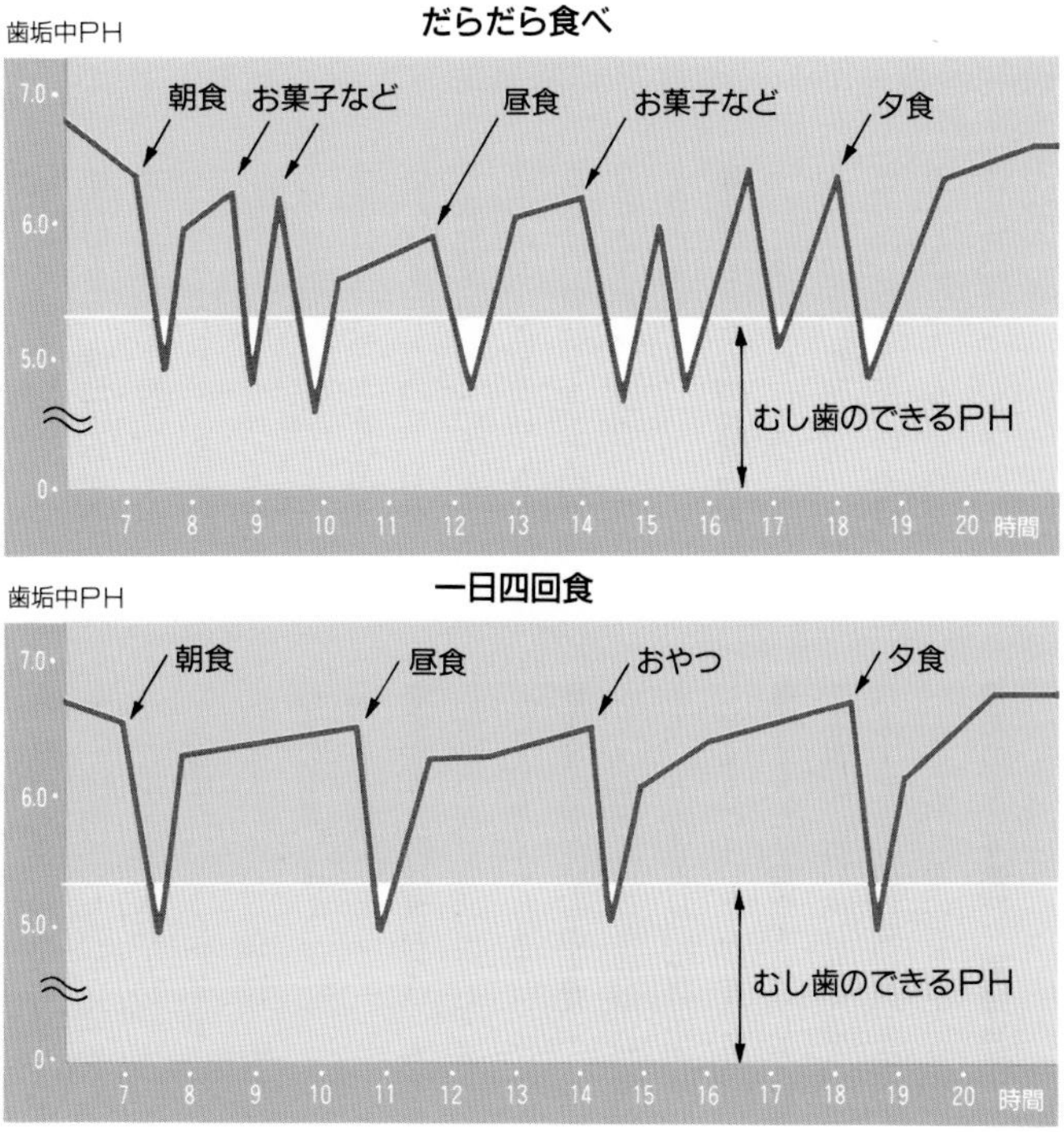

毎日のことだから、食品には心を配りたい

身近なところから食品の安全性を考える

消費者問題研究家　増尾　清氏に聞く

飽食といわれる時代とともに、その量も増えてしまった食品添加物、また不安の残る農薬問題など、食の安全性に対しては誰もが心を配っていたいことでしょう。ことに子どもは、体内での抵抗力の弱さ、蓄積年数の長さから考えても、充分心を使いたいものです。

添加物は気をつけていないと、一日に約60種、15g以上も摂取してしまいますが、気をつけてさえいれば約20種以下、1～5gに抑えられるのです。このように、一人一人が自分のできる範囲内でまず防衛を。しかし自己防衛には限界がありますから、食品の安全を願う消費者問題にも目を向け、この両輪での努力を大切にしたいと思います。

ここでは、なるべく安全に食卓を囲むための方法を三段階にわけて表しました。一、除毒（口に入る前）、二、解毒（体内に入ってしまったら）、三、体質強化、の題して「三段構え防衛法」です。

一、口に入る前に防ぐには……

第一段階はさらに大きく二つにわかれます。まず品物の選び方、そして調理段階の除毒です。

上手な買い方・選び方

買うときの大きなポイントは商品をよく見ること。添加物の使用はどのくらいか、産地はどこか、色や形など、同じものをほかと比較しながら選びます。

〔野菜・くだもの類〕

●**旬のもの、産地のわかるものを買う**　いつでも野菜が手に入る時代になりましたが、農薬の心配の少ないのは何といっても旬の野菜。ハウス栽培は薬を使うことが多く、農薬は光によって変化消失するものがほとんどなので、旬をとらえた露地栽培の野菜の方が安全です。そのほか、産地をはっきりさせることは、責任をもって売ることになりますから、明記してあるものを買いましょう。

●**化粧されたものは買わない**　真っ白に漂白されたもやし、れんこん、ごぼう、里芋、赤くきれいに色の出たさつま芋、つやのよい生姜などはいずれもリン酸塩という添加物によるものです。

●**カット野菜は買わない**　きんぴら用のささがきごぼうの中には、リン酸処理されたものが多く、この場合のリン酸はしみこんでいるので洗っても落ちません。また、テスト結果では、⅓以上のものから基準をはるかにこえる細菌が検出され、衛生面の不安も相当大きいと判断されました。

●**輸入くだものはできるだけ避ける**　残留農薬、ポストハーベストなど、国内産のものと比べるとまだまだ不安の大きいものです。さくらんぼやいちご（七～十一月までは輸入が多い）などは、国内産のものを買いましょう。

〔肉・魚介類〕

●**安すぎる肉は買わない**　あまりに値段の安い肉は正規の流通でないことが考えられます。

●**脂身の少ないものを買う**　動物の食べる飼料は農薬残留の問題があり、その農薬は動物体内の脂肪に溜まりやすいからです。

●**赤すぎたり黒すぎたりしないものを選ぶ**　古い肉は色が悪く、逆に赤すぎるものは発色剤を使っていることがあるので気をつけます。

●**旬のものを選び、養殖魚はでき

これだけはいつも気にとめていたい

一、決まった店で決まったものばかりを買わない

同じ商品をくり返し食べていると、そこに使われている同種の添加物が少しずつたまっていくことになるので、よほど信用のおける場合を除き、一つの店でばかり買うのは避ける。

二、表示をよく見て買う

すべての添加物（天然も）の物質表示が、原則として義務づけられている。添加物の内容がわからなくても、とにかく表示数の少ないものを。

三、なんといっても自然に近いものが望ましい

色とりどりに着色された食品に惑わされることなく、自然に近い姿のものを。

四、やっぱり手づくりが一番

調理済み食品や加工食品を使ったり、外食が増えると添加物の量はどうしても多めに。「基本は手づくり」が望ましい。

五、いろいろなものをバランスよく食べる

ワンパターンの食事は、栄養も添加物なども偏って蓄積されていく。丈夫な体をつくるためにも食品数を多く、バランスをよく。

るだけ避ける　魚も旬を失ってきましたが、それでもなるべく旬のものを買うように心がけることです。抗菌性物質や有機すず化合物の汚染の不安が残るハマチ、シマアジ、マグロなどの養殖魚は避けましょう。

●回遊魚は比較的安全、近海ものばかり買わない　近海魚のカレイ、キス、サヨリなどは汚染の確率が高いと思われる魚。カツオ、イワシ、サバ、サケ、アジ、サンマなどの回遊魚は比較的安全と考えられています。しかし、近海魚も使わなければならないときもあるでしょうから、いつも同じ種類にならないようにだけは気をつけましょう。

調理段階での除毒

調理段階で防衛できることは、思いのほか多く、効果も大きいものです。

〔野菜・くだもの類〕

●水で洗う、外葉をとる、皮をむく　野菜はすべて水でよくよく洗うことが基本です。もやしなどのリン酸もよく洗えばかなり落ちます。いちごも同じです。キャベツやレタスは外葉を除くこと。農薬は、皮のすぐ下にあるクチクラ層に溜まり、内部に浸透することは少ないといわれていますから、にんじんや大根、ごぼう、またりんご、なしなどのくだものも必ず皮をむきましょう。バナナは幹の方1センチくらいを切り落とします。

●茹でこぼす、あくを抜く、湯むきする　昔ながらの調理法、茹でこぼしやあくとりをきちんとすることは、安全性を高めることにもなります。ほうれん草や小松菜などの青菜類は、たっぷりの湯で茹でて水にとること。ごぼう、なすなどはあくを抜くこと。トマトは湯むきするなどがあります。

●酢のものや漬けものに　塩や味噌、特に酢は浸透性が強く、浸透した分だけ残留している農薬を減らしますから、酢のものや漬けもののときは、5〜10分下漬けしたらそれは捨てて、新しい調味料に漬けなおします。また、ぬか味噌のぬかは一年くらいで入れかえるとよいでしょう。

〔肉・魚介類〕

●脂身を除く、下味に漬ける　肉の場合、残留農薬の溜まりやすい脂身は除きます。また野菜同様、酢や醤油、味噌などに10分漬けると添加物(保存料)が½〜⅓減ったという実験結果もあるほどですから、10分漬けたら新しい調味料に。

●あくをすくう、茹でる　煮こみのときはあくをすくう、ウィンナーソーセージは切れ目を入れて3分ほど茹でてから炒める、これだけでも添加物の量は半分に減ります。

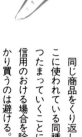

特に気をつけたい添加物（全349品目中）

1	合成着色料	
2	合成保存料	ソルビン酸、ソルビン酸カリウム、OPP、TBZ など
3	発色剤	亜硝酸ナトリウムなど
4	結着補強剤	重合リン酸塩など
5	殺菌料	過酸化水素など
6	酸化防止剤	BHA、BHT など
7	合成甘味料	サッカリン、サッカリンナトリウム、アスパルテームなど
8	品質保持剤	プロピレングリコールなど
9	小麦粉改良剤	臭素酸カリウムなど

これらは加工食品、ねり製品、スナック菓子、生めんなどに使用されることの多いものですから、買うときによく表示を見てください。1、2種類ならともかく、何種類も重ねて使われている場合は極力避けたいものです。特に、合成保存料と発色剤が同時に含まれているものは避けます。

手づくりが1番！

手づくりハンバーグの材料

牛ひき肉　豚ひき肉　玉ねぎ　卵　パン粉　植物油　香辛料　食塩

市販品ハンバーグの材料

食肉(牛肉・とり肉)　玉ねぎ　パン粉　粒状植物蛋白　植物油　食塩　リン酸塩（Na）ソース［ウスターソース　砂糖　トマトペースト　醤油　玉ねぎ　香辛料　チーズ　醸造酢　みりん　牛肉エキス　糊料(タマリンド)調味料(アミノ酸)　リンゴ酸］

●魚介類は酢、味噌、粕がポイント　野菜や肉と同じように、酢や味噌、粕などに漬けます。酢洗いするだけでも違います。汚染物質の溜まりやすい頭や内臓は取り除き、貝類は買ってきたら必ず砂出ししましょう。

二、体に入ってしまったら……

●よくかんで唾液で解毒　ひと口30回かむとは昔からいわれていることですが、これは消化をよくするだけでなく、唾液には有害物質の毒性を消す効果があることもわかりました。みんなで語らいながらたのしく食卓を囲んでいれば、よくかむことにもつながることでしょう。

●各種ビタミン、食物繊維をよくとる　ビタミンCは食べ合わせによる抗ガン効果や、体内に入った有害物質を解毒する作用があります。たとえば、焼き魚に大根おろしをつけるのも、魚に含まれる環境汚染物質などをビタミンCによって解毒していることになるのです。ビタミンAやEも、発ガン作用を抑える働きのあることがわかっています。また食物繊維は、体内の有害物質を吸着して排泄させるなど、体にとって見逃せない働きをしますから、芋、豆、海藻、雑穀類を多くとるように心がけましょう。

三、添加物を防ぐ体質をつくる

最後のステップは添加物に負けない体質をつくること。これまでの二段階を経ても防げない部分を、ここで補います。

●カルシウムで体質を強化　カルシウムは体内の細胞を結ぶコラーゲンを丈夫にして、ガン細胞が入り込めないようにする働きがあるといわれますから、カルシウムを多く含む食品を食べることはもちろん、その吸収を助けるたんぱく質、ビタミンD_2（天日干しの椎茸など）などをとるようにするとよいでしょう。

●バランスよく種類多く食べることで体内でバランスも保たれる　有害物質の解毒作用は複雑で、一つの成分が過剰に摂取されるとほかの成分が吸収されにくくなったり、かえって害になったりもするのです。また、一つの食品がすべての栄養素を含むことはありませんから、種類の異なる食品グループから数多くの食品をとる、これは栄養の面からだけでなく、食品の安全性から考えてもいえることなのです。

何をどれだけ食べたらよいでしょう

「何をどれだけ食べさせたらいいのか」と思ったら、この扉をひらいてください。また、その疑問は食べものをもう少し深く知るきっかけにもなることでしょう。

ふだん何気なく口に運んでいる食べものは、私たちの体をつくり、支えるのに欠かせないものです。まず、それぞれの食べものがもつ栄養素の働きを知ってから、食べる量と、バランスよくとる工夫を覚えます。そして献立を立てて、さあ料理をはじめましょう。

食べものに含まれる栄養素は、私たちの目には見えませんから、まず材料から考えるとわかりやすいでしょう。食べものは大きく四つのグループにわけられ、それらを組み合わせてまんべんなくとれば、栄養素も偏りなく体内にとり入れられます。

女子栄養短期大学教授
岡﨑光子

体内の働きを活発にする食品　野菜、くだもの類

第三のグループは野菜、くだもの、芋が含まれます。これらの食品はビタミン類やミネラル類、そして繊維を多く含みます。淡色野菜（レタス、きゅうり、トマト、キャベツ）は、加熱しなくても生のままで食べられるので、よく使用されます。サラダの材料として一番よく使われるのも、この淡色野菜です。一方、緑黄色野菜は匂いのあるものが多く、生の状態では食べにくいこともあり、摂取量は少なくなりがちです。にんじん、ほうれん草などの緑黄色野菜には、ビタミンAやCが多く含まれます。芋類にもビタミンCは多く、特にじゃが芋に含まれるビタミンCは、加熱しても壊されにくいといわれますので、忘れずに食べましょう。

くだものと野菜は似て非なるものです。中にはみかんやいちごのように、ビタミンCを多く含むものもありますが、くだものには果糖が多く、逆に繊維が少ないのです。しかも、野菜はエネルギー量が少ないのですが、くだものは多いものがありますので、食べるときには注意しましょう。

エネルギーのもと 穀類

第四のグループには、穀物、砂糖、油脂が含まれます。これらの食品は糖質や脂質を多く含んでおり、主としてエネルギー源になります。米はエネルギー源ともなりますが、たんぱく質も含みます。そして、胚芽の部分には、ビタミンB_1やビタミンEも多く含まれます。油は脂質を多く含みますが、これを摂取することにより、便に滑らかさを与えます。砂糖は糖質以外の栄養素は含みませんが、料理をおいしくするためには必要な食品です。

何でも大好き・元気のもとは
バランスよく食べること

お母さんの好きなもの
だけつくらないで！
知らず知らずのうちに、
偏食っ子造成中。

偏りのある外食より、
あり合わせでも手づくりに。

食品数はよい食生活の
バロメーター。少ない
人は一品おかずを増や
してみましょう。

暑いときには冷やした
もの、寒いときにはあ
たたかいものを一品加
える家庭の味。

からだをつくる食べものの働きを知ろう

オールマイティーな食品　乳、卵

第一のグループは乳と卵。このグループはたんぱく質、脂質、ビタミン類が豊富で、他のグループの食品と比較し、多種類の栄養素を含んでいることが特徴です。特に、成長に必要なたんぱく質やカルシウムを多く含みます。牛乳中に含まれるカルシウムは、乳酸カルシウムの形をしていますので、大変吸収がよいのです。さらに、カルシウムの吸収には、たんぱく質や乳糖などの助けが必要ですが、乳・乳製品はそのどちらも含みますので、吸収率が高くなっています。オールマイティーの食品といってもよいでしょう。

血や肉をつくる食品　肉、魚、豆

第二のグループには、魚介類、肉類、豆・豆製品が含まれます。これらの食品は良質のたんぱく質を多く含むほか、ビタミンB_1、B_2、鉄、カルシウムなどの栄養素も含みます。魚介類の中でも小魚類はカルシウムが多く、乳・乳製品に次いで吸収率が高くなっています。このグループは主に、血や肉をつくるために役立つ食品です。魚介、肉は、主菜の材料として使用しやすい食品ですが、豆・豆製品も、畑の肉といわれるほどたんぱく質を多く含み、質もよいので、主菜にも使用しましょう。

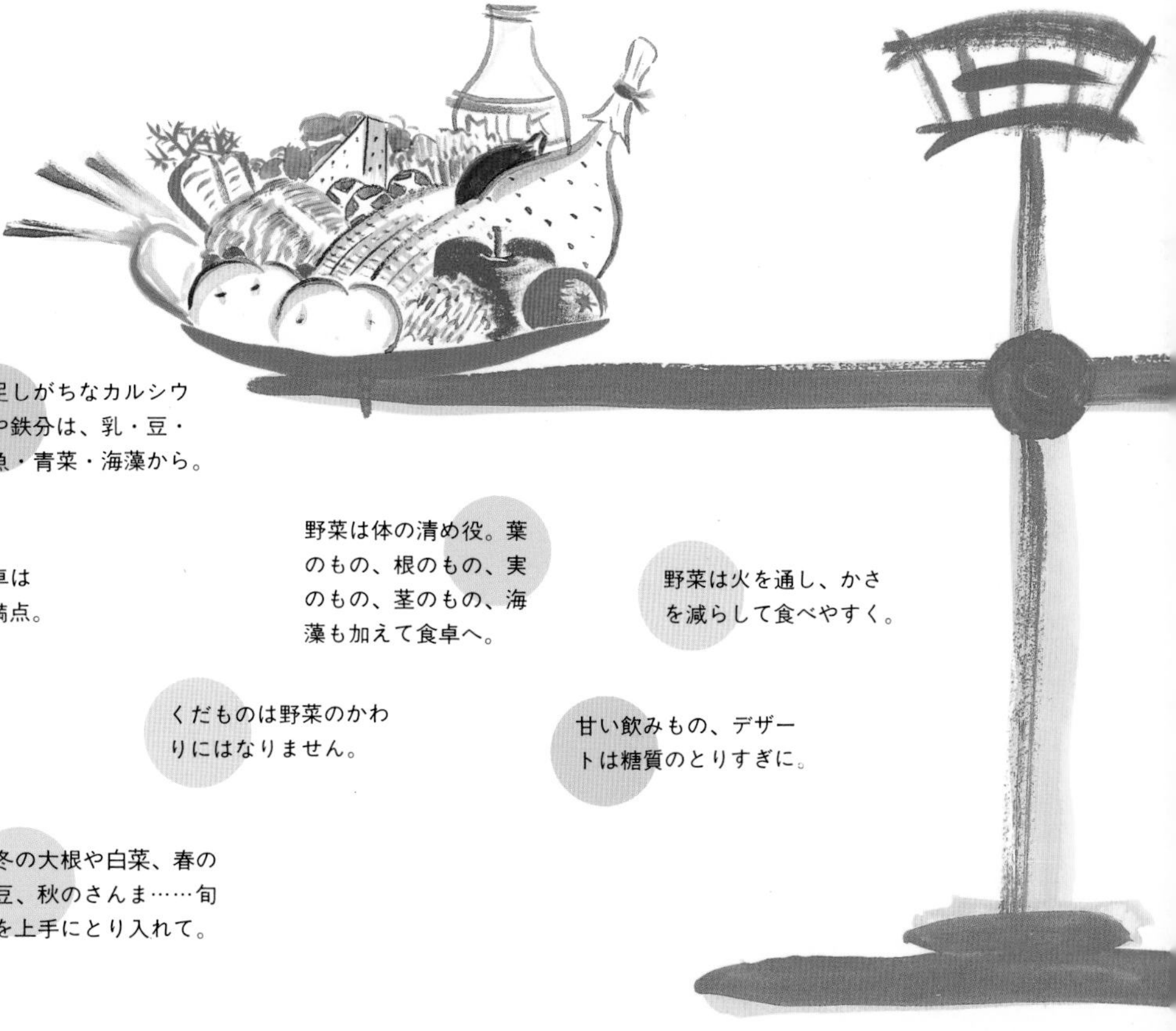

お残ししても叱らずあせらず。次からは少なめに盛りつけ、食べられたらほめてあげよう。

不足しがちなカルシウムや鉄分は、乳・豆・小魚・青菜・海藻から。

彩りのきれいな食卓は栄養素バランスも満点。

野菜は体の清め役。葉のもの、根のもの、実のもの、茎のもの、海藻も加えて食卓へ。

野菜は火を通し、かさを減らして食べやすく。

くだものは野菜のかわりにはなりません。

甘い飲みもの、デザートは糖質のとりすぎに。

冬の大根や白菜、春の豆、秋のさんま……旬を上手にとり入れて。

目安量はしっかり覚えたい

「子どもにはいったいどのくらい食べさせたらいいのかしら？」「何を目安にしたらよいのかわからない……」と思っている人も多いのではないでしょうか。そこで、一日にとりたい食品の目安の量を表してみました。これは、39頁にある一日の食事摂取基準を、できるだけ満たすように考えた食品の組み合わせと分量です。この数値がわかっていると、無駄のない買いものができますし、料理もしやすい、盛りつけも確信をもってできるでしょう。目安の量を頭におきながら食事をつくっている人たちからは、「野菜は意識してようやく目安の量に達した」「豆と海藻は意識していないといつも不足ぎみになる……」といった感想も聞かれました。このように目安の量を気にとめていることは、バランスのよい食事にもつながるのですから、しっかり覚えたいものです。

でも、目安はあくまで目安、とらわれすぎずに

けれど、食事摂取基準は各個人に合うように示したものではなく、日本人の平均的な値です。ですから、それをもとにして算出した目安の量もあくまでも目安。とらわれすぎは禁物です。それぞれの子どもの個体差、成長の仕方や生活環境の違いなど個々に必ず差があります。全体にとても食の細い子もいれば、よく食べてそれが適量の子もいるでしょう。まず、各品目をバランスよく食べることを大事にすること。放っておくとついとりすぎになる肉・魚類、不足しがちな野菜類などを気にかけながら、バランスのよい食事がたのしくできますよう——。

食事摂取基準から考えた1日にとりたい食品の組み合わせ

廃棄量を除いた正味の目方(単位g)

年齢	性別	基準身長(cm)	基準体重(kg)	牛乳 乳製品	卵	肉・魚	豆 大豆製品	野菜				くだもの	穀類	砂糖	油脂
								青菜	にんじん	芋	その他				
1～2歳	男	85	11.9	250 チーズ5	50	40	35 (味噌5)	30	10	50	80 (海藻含む)	100	120	10	10
	女	84.7	11										90		
3～5歳	男	103.5	16.7	300 チーズ5		50	40 (味噌5)	40			110 (海藻含む)		170	15	15
	女	102.5	16										140		
成人女子 30～49歳				200 チーズ5	40	100	80 (味噌10)	60	その他に含む	50	290 (海藻含む)	150	230	20	15

この目安の量は、全国各地の友の会の数値をもとに、子どもが食べやすく、献立も立てやすいように、また経済のことも考え合わせて決めたものです。

野菜の中ではビタミン類、ミネラル類（鉄、カルシウムなど）を豊富に含む青菜と、同様に栄養が豊富で、ことに彩りを大切にしたい幼児食には欠かせないにんじんを特筆しました。その他、海藻も野菜に入りますから、鉄分たっぷりのひじきなど、忘れずにとりたいものです。

なお、ここで表した数値は通常の子どもを対象にしたもので、アレルギーのある方は医師と相談することが大切です。

3歳の子どもが1日にとりたい食品

豆・大豆製品 40g(味噌5g)
豆腐ばかりでなく、豆も食べたい。煮豆大匙1杯は約10g、豆腐$\frac{1}{4}$丁は約75g。

肉・魚 50g
魚の切身は1切れ70～80g。

油脂 15g
バター、油大匙1杯は共に12g。

乳・乳製品300g　チーズ5g
100gの牛乳に含まれているのと同量のカルシウムとたんぱく質をとるにはヨーグルトなら90g、スキムミルクなら約10g。

砂糖 15g
大匙1杯は9g。

くだもの 100g
栄養的にもたのしみとしても欠かせないもの。でも食べすぎは糖分のとりすぎになるので気をつけて。

穀類 140～170g
写真は、炊いたり茹でたりした状態ですが、目安量は調理前の重さです。ごはんは米で、パンは粉で、うどんは乾めんで考えます。
ご飯の目方÷2.2＝米の重さ
パンの目方÷1.4＝粉の重さ
茹麺の目方÷2.4＝粉の重さ

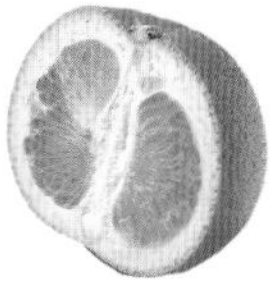

野菜 210g(青菜40g　にんじん10g　芋50g　その他110g)
できるだけ多くの種類を食べたい。重さの目安は、ほうれん草中1株が約20g、ピーマン1個は約30g、にんじん中$\frac{1}{10}$本は15～20g、キャベツの葉中1枚は50g、玉ねぎ中$\frac{1}{4}$個は30g、かぶ$\frac{1}{2}$個は40g、じゃが芋中$\frac{1}{2}$個は40g。

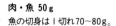

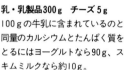

卵 50g
1日1個が基本ですが、最近の卵は50gより重いものが多いので食べない日がたまにあっても大丈夫。

40頁の献立は主にこの材料でつくりました

母と子(3歳)の目安量の比較

★点線まで含めたイラスト全体が母の量とすると、色の部分が子どもの量。

肉・魚
子どもは母の約半量

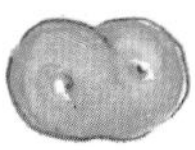

芋　親子とも同量

くだもの
子どもは母の$\frac{2}{3}$

卵　子どもは母の約1.2倍

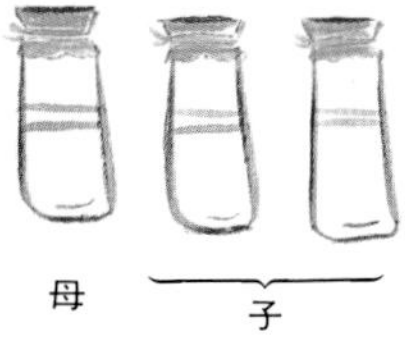

乳・乳製品
子どもは母の1.5倍

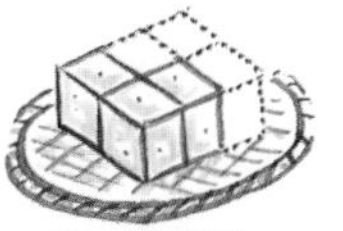

豆・大豆製品
子どもは母の半分

穀類　子どもは母の約$\frac{2}{3}$

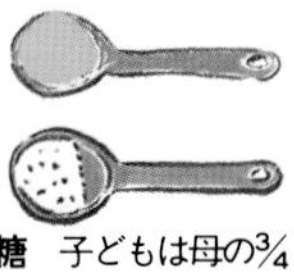

砂糖　子どもは母の$\frac{3}{4}$
油脂　親子とも同量

野菜
子どもは母の半分強

梅干しの大きさで目安量をみる！

これだけでいいの？ こんなにいるの？

目安の量のことが頭に入ったら次は実際に食べる分量のこと。子どもの食事の量が一日でわかる簡単な方法をお教えましょう。

材料の見当はだいたいついていても、実際に調理された食べものが何グラムか、また目安にかなっているかというのはなかなかわからないものです。そこで、梅干しを目安にし、比較しながら見るのです。

梅干しの大きさは、直径2～2.5cm、15～20gくらいのものです。たとえば一食の基本は左の図の通り。これだけでいいの？ こんなにいるの？ とお思いでしょうか。中には「肉だんごをおべんとうに四つも入れていたわ」という方もあるでしょう。写真は、基本の一食を盛りつけてみました。不足しがちな野菜類が、とりすぎの傾向にあるたんぱく質(特に肉・魚類)より、ずっと多いことが一目瞭然です。

梅干し大は、子どもの手や口の大きさに合うようにと考慮したものです。一～二歳はこの大きさが持ちやすくて食べやすい、三～五歳になれば梅干しを二つ合わせた程度の大きさでも、上手に食べられるのではと考えます。

肉
卵 } **たんぱく質類**

ここには豆類がないのでほかの2食かおやつのうちどこかで豆を。1日にとりたいたんぱく質の総量は、肉魚3つ・卵2つ・豆2つなので4食に上手に配分。

野菜類

種類を多くするとしぜんに量もとれて、彩りもきれいに。

ごはん類

おかずに気をとられていると、意外に不足しやすいもの。たりなさそうなときは、おやつでも補う工夫を。

子どもの食事のパターン

大きめの梅干し1個 ＝20g（3～5歳）
15～20g（1～2歳）

1食分

肉・魚 }
卵・豆 }
野　菜…………
ごはん・パン

×3(朝・昼・夜)＋牛乳100cc(どこかで)
＋くだもの20～40g（どこかで)

おやつ

卵……
粉製品
くだもの

＋牛乳 200cc

●これはだいたいの目安量をつかむためのパターンですから絶対にこの通り……と決めつけないで。ことにおやつは、とりきれなかった栄養を補うつもりでいろいろな食品を食べましょう。とりあえず目安として、この梅干しの数を頭に入れておくと、とても便利です。

体の土台をつくる幼児期は どの栄養素も不足なく

子どもの体重は大人の1/4から1/5。でも、栄養素の摂取量は決してそれには比例しません。下の表からもわかるように、摂取量が大人の半分以下でもいい栄養素はひとつもないのです。

大人との違いは、①運動量が多い、②発育が盛ん、ということです。小さな体でちょこまかとよく動けばエネルギーなどの消費も早い、また日に日に成長していく時期ですから、体重当たりの栄養は大人より多くて当然でしょう。

栄養素の面から考えると、体の土台をつくる幼児期は、どれも不足のないようにとりたいものです。たとえば、鉄、カルシウム、ビタミンは気にしていないと不足しがちなので、野菜(特に青菜)、小魚、海藻、豆類をきちんと食べること。成人病が問題にされる中、エネルギーやたんぱく質はとりすぎないようにといわれますが、成長盛りの子どもにとっては、エネルギーもたんぱく質も大切。とりすぎは、成人病予備軍の心配もありますが、成長に必要な栄養素ですから不足しないように気をつけなければなりません。バランスよくとるための第一歩は、食品数を多くとることです。

1日の食事摂取基準

「日本人の食事摂取基準（2005年版）」子ども：身体活動レベルⅡ　成人女子：身体活動レベルⅠ

年齢	性別	基準身長 (cm)	基準体重 (kg)	エネルギー (kcal)	たんぱく質 (g)	カルシウム (mg)	鉄 (mg)	ビタミンA (μg)	ビタミンB_1 (mg)	ビタミンB_2 (mg)	ビタミンC (mg)	ビタミンD (μg)
1〜2歳	男	85	11.9	1050	20	450	5.5	250	0.5	0.6	40	3
	女	84.7	11	950		400	5			0.5		
3〜5歳	男	103.5	16.7	1400	25	600	5	300	0.7	0.8	45	3
	女	102.5	16	1250		550						
成人女子 30〜49歳		156.8	52.7	1700	50	600	10.5	600	1.1	1.2	100	5

献立を　ある春の一日

「献立を立てるのは面倒そう……」そうぼやくのはちょっと待って！

「献立の立ててあった日は食品数も多いし、四つの食品グループからもきちんととれているので安心できる」「自然と季節感のある食卓になり、子どもとも旬の食べものの話で会話がはずむ」など、献立を立てている人たちの食卓はゆとりがあって、豊かそうです。

最初から一週間分と考えて気を重くせず、まず次に食べる分を、できたら一日分を、そうして三日分……とトライしてみてください。

献立を立てるメリット

●いろいろな食品をとりまぜられるので、栄養のバランスがととのいます。子どもの好き嫌いも防げるでしょう。

●計画的な買いものやまとめづくりなどの料理ができます。また同じ材料も上手にくりまわすことができるので、無駄なく経済的です。

●同じような料理ばかりに流されず、彩りよく、旬の素材をきちんと食卓にとり入れることができます。

●時間のゆとり気持ちのゆとりが生まれます。

献立は肉・魚と野菜から考える

主菜となる肉か魚（週に半分くらいは魚を）を最初に決めたら、これに合わせて野菜を考えます。野菜の量は肉や魚の三～四倍。味覚や栄養の面からみて、どちらも欠かせないものですから、この二つはセットで考えましょう。主菜と野菜が決まったら、それに合う汁ものと、もう一～二品のつけ合わせがあると理想的。豆、芋、海藻類も忘れずにとるように配分します。これらが常備菜にしてあると、あと一品というときにとても役立ちます。

あさ

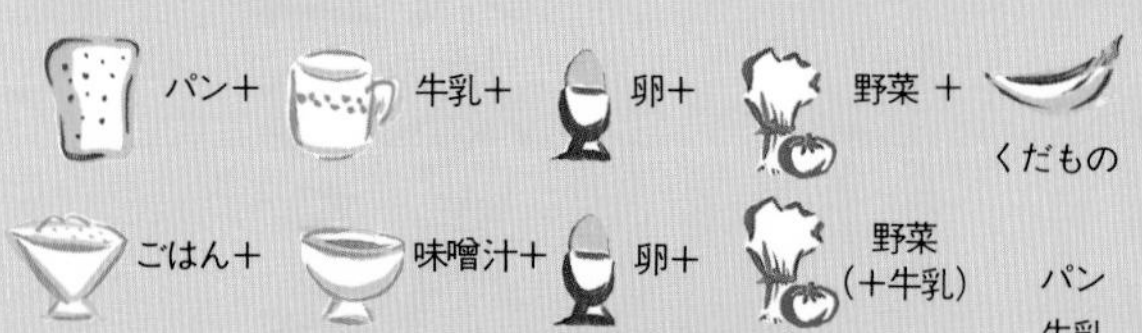

●活力をつける朝は、野菜をたっぷりとり、乳と卵で栄養を完全に。

パン
牛乳
半熟卵
茹で野菜のごま味噌ドレッシング
（キャベツ、にんじん、ピーマン、りんご）

エネルギー	364kcal
たんぱく質	15g
脂質	47%
カルシウム	287mg
鉄	1.1mg
V.A効力	183μg
$V.B_1$	0.2mg
$V.B_2$	0.4mg
V.C	19mg

ひる

三色ごはん
（炒り卵、とりそぼろ、しらす入り青菜）
ひじきと大豆の煮もの
（ひじき、大豆、にんじん）
さつま芋のレモン煮
お茶

エネルギー	433kcal
たんぱく質	13g
脂質	24%
カルシウム	100mg
鉄	3.4mg
V.A効力	236μg
$V.B_1$	0.3mg
$V.B_2$	0.2mg
V.C	22mg

●ひと皿盛りのものでも、常備菜で野菜や豆を忘れずに。

●朝が和食で牛乳がとれない場合は、昼に牛乳を。

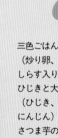

料理にとりかかるその前に

おやつ

カナッペ
（いちごジャム、
ピーナツバター、
チーズ）
はっさく
牛乳

●栄養の補いとたのしみの時間に。
●夕食にひびかない量を。

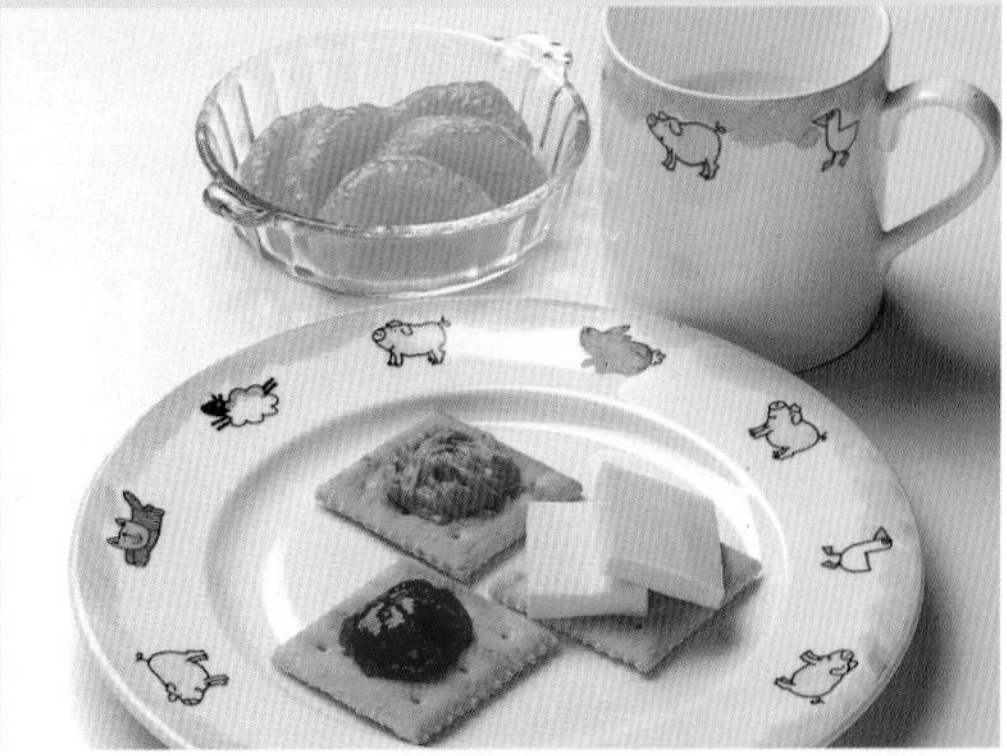

エネルギー	368kcal
たんぱく質	14g
脂質	37%
カルシウム	308mg
鉄	0.5mg
V.A効力	119μg
$V.B_1$	0.2mg
$V.B_2$	0.4mg
V.C	34mg

よる

ごはん
味噌汁
（豆腐、わかめ、ねぎ）
サワラの照り焼き
かぶのバター煮
煮びたし
（青菜、きのこ、
もやし）
かぼちゃの甘煮

エネルギー	395kcal
たんぱく質	14g
脂質	27%
カルシウム	59mg
鉄	2mg
V.A効力	317μg
$V.B_1$	0.1mg
$V.B_2$	0.2mg
V.C	28mg

●一汁三菜を基本にした献立に。
●ねる前なのであまり重くならないように。

TOTAL

エネルギー	1560kcal	カルシウム	754mg	$V.B_1$	0.8mg
たんぱく質	56g	鉄	7mg	$V.B_2$	1.2mg
脂質	33.4%	V.A効力	855μg	V.C	103mg

彩りのよさは栄養のよさに

食卓にならべたときに気になるのは、やはり彩り。きれいな色でととのえられた食事は、大人でも見ただけで食欲がわいてきますが、子どもはなおさらです。色に興味を示すと同時に、いつのまにか食もすすむでしょう。

主役はなんといっても赤と緑。すぐ思いうかぶのは、真っ赤なミニトマトやレタスのサラダですが、栄養のあるにんじんや青菜の活躍も欲しいもの。彩りのよい食事は栄養も満たされてきますから、色の面からチェックすることも大切です。

パターンを決めて配分を覚えて

右のような食事パターンを決めておくことは、献立を立てるときに大いに役立ちます。これにそって考えていれば、不足した栄養分もわかりやすく、次の食事で補うこともしやすいでしょう。朝に牛乳がとれなかったらお昼に飲むなど……。一日四回の食事の重さの配分は、朝1、昼1.2、おやつ0.8、夜1が理想的といわれますが、実際には、家族中が落ち着いて食卓を囲む夕食用意に、主婦の手はとられがち。活動的な昼食が栄養的に一番充実するよう気をつけていただきたいものです。

旬のものをとり入れて

旬の野菜や魚が、食卓をかざるのはうれしいこと。出盛りのものは店先でも手にとりやすくなっていますが、献立が立っていれば見逃すことはありませんし、調理法が決まっているおかげでワンパターンからも脱出できそうです。この献立の季節は春なので、夕食にはサワラの切り身を使いました。ときには一尾づけの魚を焼いて、母親が身をほぐしてあげるのもいいでしょう。次頁からのTさんの実例は冬ですので、ブロッコリーや青菜をたっぷり使い、大根、長ねぎなども登場しています。

野菜大好き！ S君 冬の一週間の献立

朝食

日（１日の食品数31品目）・注

パン
農夫の朝めし（卵、じゃが芋、にんじん、玉ねぎ、ベーコン、牛乳、パセリ）
甘酢漬け（カリフラワー、にんじん）☆
牛乳

月（29品目）

ごはん（しらす干し、のり）
味噌汁（油揚げ、かぶ、落とし卵）
野菜炒め（キャベツ、にんじん、玉ねぎ、かぶの葉）

火（34品目）

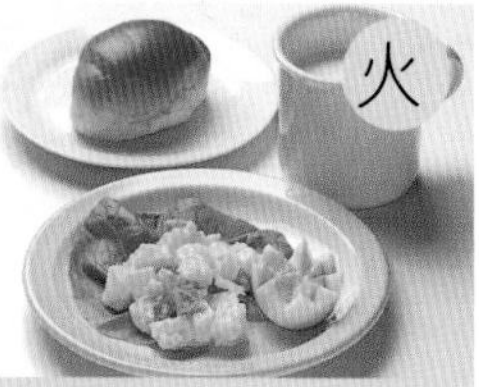

バターロール
ポテトサラダ、サラダ菜添え（じゃが芋、にんじん、玉ねぎ、グリンピース）
茹で卵
牛乳

この実例の主人公は、四歳の男の子S君。ふだんは、祖父母と両親の三世代、五人の暮らしです。お母さんのTさんは「食べる・眠る・遊ぶ」を子どもの生活のもとと考え、ことに食事に関しては、家庭で食べることを基本とし、食品の目安量を頭におきながら、海藻（わかめやひじき）や豆類の常備菜を欠かさない毎日です。そんな、バイタリティにあふれる食生活の秘訣は……？

献立パターンは強い味方

Tさんの献立パターンも、前頁にあるような、朝食に卵、牛乳、野菜をとること、夕食は一汁三菜になるべくすること、また昼食は手をかけずに栄養のあるものにすることと考えています。そして「朝、昼、夕の三食に必ず野菜を入れ、その量を多くとることが私のポリシー」といいます。この簡単なパターンが頭にあるおかげで、食事の充実と生活リズム、ゆとりが生まれました。

見かけはよくないけれど栄養は満点！

とにかく芋でも青菜でも、野菜と名のつくものはたっぷり食べる、この考えから、T家の食卓はいつも盛りだくさん。これは、食品数を多くとることにも、好き嫌いをなくすことにもつながります。一般に一日三十品目とるといわれますが、それを実行するために自分の知っている限りの食品名を駆使して、それらをとり入れようと

昼食

日

焼きそば（豚肉、にら、キャベツ、玉ねぎ、もやし）
うずら豆☆
牛乳

月

スパゲッティミートソース
大根ときゅうりのスティック
牛乳

火

おにぎり（梅干し・ごま、大根葉・カツオ節・青のり）
ひと口カツのケチャップ煮◎
ブロッコリー
ひじきの煮つけ（ひじき、油揚げ、にんじん）☆
甘酢漬け（セロリ、にんじん）☆

注（　）内は42～44頁までの１日の食品数
☆印は常備菜
◎印は多めにつくってくりまわしたもの

（27品目）

チーズトースト
巣ごもり卵（じゃが芋、卵）
ブロッコリー
牛乳

（34品目）

ごはん
味噌汁（わかめ、油揚げ）
卵焼き（春菊、しらす干し）
ハリハリ漬け（切り干し大根、にんじん、昆布）☆

（26品目）

トースト（マーガリン）
スクランブルドエッグ
野菜炒め、サラダ菜添え（もやし、にんじん、ピーマン、玉ねぎ）
りんご
牛乳

（32品目）

ごはん
味噌汁（長ねぎ、わかめ）
ほうれん草の卵とじ
納豆（のり、しらす干し）

工夫しているので、食卓もにぎやかです。スープや味噌汁などの汁ものにはそのとき入れられるものを多く、煮ものも里芋だけをことこと煮るなんて考えられないので、四種類五種類を炊き合わせるなど……。見た目は上品とはいいがたい、けれど栄養は抜群ですから、子どもの食事としては魅力のある内容です。また、ストックのきく野菜は多めに買っておき、主菜しか決まっていなかった日などに、それらで一〜二品つくります。「野菜は肉や魚の四倍量ですから、一食野菜を抜くと次の食事でフォローするのは大変！　だから、朝でも昼でもいつでも、どこかにお野菜入らないかな？　と考えてしまうんです」この気持ちが、S君を野菜好きの子どもにしました。

朝食——卵＋野菜＋牛乳——

野菜は泥つきのものを購入しているため、朝食分は夜ねる前に洗っておくのが習慣。これだけで朝の手間は断然違ってきます。また、卵とワンセットで考えるのもひとつの方法。たとえば野菜ソテーに手がかかり、タイムリミットになってしまったら、卵は上からかぱっと割り落としてしまいます。逆に、卵料理が手のかからない茹で卵なら、その分、野菜料理が充実することもあります。そのあたりは臨機応変に。

牛乳はつけることが基本ですが、冬は飲む量が少なめになります。そんなときは、昼食を洋風にしてとりやすくしたり、土曜日のグラタンのように夕食のおかずにとり入れたりします。

昼食——外遊びから帰ってきてすぐ食べられる昼食術——

献立は早めに決め、下準備は朝のうちにすませます。外から帰ってきたら火にかけるだけで手間をかけないこと、前夜の残りものや常備菜をできるだけ使うこと、これが昼食の特徴です。ことに、残りもののくりまわしは

ごはん
和風ポトフ（サケ、じゃが芋、大根、にんじん、昆布）◎
ほうれん草のごま和え◎
ぶどう豆☆

（おべんとうにも）
サンドイッチ（ピーナツバター・レーズン、ツナ・すりおろしにんじんのマヨネーズ・サラダ菜）
きゅうりのピクルス☆
みかん
牛乳

チャーハン
（卵、にら、しらす干し）
かぼちゃのレモン煮◎
ハリハリ漬け（切り干し大根、にんじん、昆布）☆

煮こみうどん（肉だんご、長ねぎ、小松菜、車麩、油揚げ）
ぶどう豆☆

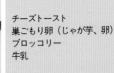

おやつ

ホットケーキ（レーズン入り）
いりこ
みかん

フルーツ入り豆腐白玉だんご
（りんご、みかん、キウイ）
牛乳

（外出）
アップルケーキ
みかん
牛乳

にら入りお焼き
キウイ
牛乳

手間いらずのポイントですから、次の日に使えそうなものは、多めにつくります。ひと口カツ(火曜)、和風ポトフ、ほうれん草(水曜)、かぼちゃのレモン煮（金曜）は前夜から、また煮こみうどん（土曜）の肉団子も水曜日の夕食で多めにつくって、冷凍したものをくりまわしました。

おやつ――軽食と考えて――

「おやつ＝甘いもの」の観念はもたないTさん。必ずしも甘いものをシャットアウトするというのではありませんが、状況に応じて、とり合わせも考えた上で、たのしみも失わない軽食にと考えます。塩分や糖分、添加物などの影響を考えると、なるべく手づくりがいいけれど、大変なときは市販品にも頼ります。そんなときは袋ごと渡すのではなく、一人分をお皿にとって食べさせる、くだものや牛乳、そのほか栄養の補いになるものをつけるなどの心配りがされたおやつに、S君も大喜びです。

夕食――家族揃って語らいながらの食卓に――

基本的には一汁三菜。でも外出などで夕方が忙しいとわかっている日は、ポトフ（火曜）やハヤシライス（金曜）のようにつくりおきのできるものや、ひと皿盛りのものになります。いつもは親も子も一番疲れている夕食前に、一からすべてをつくるのは時間的にも体力的にもきついことですから、子どもが昼ねをしている間に台所に立ちます。いっしょにねてしまいたいと思うこともたびたびですが、そこで休んでしまった日は必ず後悔してしまうほど、合間仕事の下準備は貴重なもの。青菜を一わ茹でておくだけでも全く違うことなのです。

食事の決め手は常備菜

栄養を考えて食卓をととのえる陰の立役者は常備菜。豆や海藻などの大切な栄養素を含んだ食べものが、いつ

夕食

ごはん
すまし汁（豆腐、わかめ、
長ねぎ）
サバの味噌煮
煮もの（里芋、にんじん、ごぼう、
さやいんげん、筍）
小松菜のおひたし

ごはん
スープ(白菜、にんじん、ベーコン)
ロールカツ
ターツァイのソテー
マッシュポテトのコーン入り
ひじきの煮つけ（ひじき、油揚げ、
にんじん）☆

ごはん
和風ポトフ(サケ、豆腐、じゃが芋、
大根、にんじん、昆布)
ほうれん草のおひたし
きんぴらごぼう(ごぼう、にんじん、
ごま）☆

ごはん
スープ（豆腐、わかめ、長ねぎ）
肉だんごの甘辛煮
春菊のおひたし
大根の三杯酢和え（大根、にん
じん、しらす干し、大根葉）

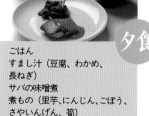

「お母さんのごはん、とってもおいしいよ！」

チーズポテト
牛乳

オートミール、牛乳
みかん

さつま芋とりんごの重ね煮
（レーズン入り）
みかん
牛乳

もつくりおかれてあるのが大きな強みです。そのほかにも野菜のピクルスなどは出番の多いもの。あと一品に困ったときはこれに頼りますし、手をかけない昼食にはたいてい登場です。これらは子どもがねついた夜八時すぎからつくることがほとんどで、「明日はこれでらくができる」と思うと苦にもなりません。

大変でも毎日一生懸命することで、実力も少しずつついてきたようです。

さてTさんの診断結果は？　——専門家からひとこと

「とりにくい海藻類、豆類をよく食べているおかげで、不足しがちな鉄分もよくとれています。それでも、金曜日、土曜日は摂取量が低めでした」「今の時代、とりすぎが気になるのはたんぱく質と脂質。Tさんは、比較的抑えられていますが、日曜日は焼きそば、水曜日はおやつがお焼きだったので、脂質が高めになったようです」「野菜が充実していて、残りもののくりまわしも考えられていますし、外食をしていないので、栄養バランスのとれた食事内容ですね」「これだけできるのは、そうとう努力しておられるからだと感心しました」これまでのTさんの実例から、なにかひとつでもできそうなことが見つかったら、はじめてみてはいかがでしょう。

ごはん
すまし汁（とろろ昆布、ねぎ）
イワシのかば焼き
さやいんげんの塩茹で
かぼちゃのレモン煮
かみなり豆腐（豆腐、ごぼう）

（忙しい日）
ハヤシライス（牛肉、玉ねぎ、
にんじん、じゃが芋）
大豆、わかめ、ブロッコリーの
三杯酢サラダ

マカロニグラタン（マカロニ、
とり肉、玉ねぎ、生椎茸）
白菜サラダ、茹で卵添え
（白菜、にんじん、レーズン）

とりにくい栄養素

体にいい食べものはとりにくい？

子どもたちは、口あたりが柔らかくてよくかまなくても食べられるようなものが大好き。たとえばハンバーグ、スパゲッティ、スナック菓子にケーキ、くだものなどなど。高脂肪、高カロリーのものが多く、逆に苦手とする食べものはといえば、野菜や豆の煮もの・和えもの……、これに加えて、食卓にのぼる回数の少ない海藻類、芋類などがとりにくい食品のようです。

野菜をしっかり

それらの食品の中でたとえば野菜。ビタミンCやカロテンなどのビタミン類、鉄やカルシウムなどのミネラル類、微量栄養素、そのほか体内の働きをよくする食物繊維が豊富に含まれています。成人病を防ぐ役割もしますから、42頁のS君のように、ぜひともしっかり食べて野菜好きの子どもになりたいものです。

どうしても不足しがちな鉄分

これだけ食糧にはこと欠かなくなった時代でも、鉄分の摂取量は多くの人が不足気味。鉄分不足は貧血をおこしますが、特に乳幼児は成長の著しい時期なので、体内で使われる鉄分の補給だけでなく、貯蔵鉄を蓄えて成長に不足をきたさないようにことさら気をつけなければなりません。そこで欠かせないのが、小松菜やほうれん草などの青菜や魚です。肉やレバーも良質の鉄分を含みますが、ほかの栄養素の面から、とりすぎは避けたい食品です。また切り干し大根、ひじき、大豆などを常備菜として煮ておき、献立に加えると確実に鉄分をとることができます。

成長に欠かせないカルシウム

成長のめざましい幼児は、おとなの4/5量のカルシウムを必要としています。丈夫な骨をつくるためには、

●小魚、青菜、乳製品といった、カルシウムを多く含む食品をたくさんとること

●太陽のもとで充分に体を動かすこと

この二点を忘れないようにしましょう。

最近は、カルシウム剤や栄養強化食品など多く出まわり、目に触れる機会も多くなりました。けれど、いくら不足を補え

食べる食べると思っていたら肉と魚の食べすぎだった

三歳の次男は一、二歳の頃体が弱く、元気になってほしいと、食べてくれるものをとにかく与えていたので、肉・魚ばかり食べすぎの状態でした。小さなおなかに肉や魚がいっぱい入ってしまうと、もう野菜などはほんの少ししか入りません。どうしたらバランスよくいろんなものを、おいしく食べられるんだろうと思っていた頃、友の会の幼児グループで食事調べをし、三歳に必要な目安量をもとにした食事づくりを励んでみることになりました。

幼児グループの集まりで青菜と海藻の実習をしたときに、青菜の中にはほうれん草、小松菜、ターツァイ、大根葉、春菊、パセリのほか、実に多くの野菜があることを知り、さっそくターツァイを茹でて、辛子和えにしてみました。どうせ食べないだろうと、野菜嫌いの長男にはほんの少しをお皿にのせました。ところが「ママおかわり」といって、結局70gも食べてしまったのです。このときの私のショックといったら……。ほうれん草だけが青菜だと思いこみ、毎日食卓にのせていたのでは、見るのも嫌になっていたのかもしれません。

それからの日曜日は、ビタミンA、鉄分の含有量が青菜と同じくらい豊富なブロッコリーも加えて、四種類の青菜を必ず買い、その日のうちに全部茹でています。そこから、少しずつとり合わせて使うようにすると、らくに食べられることがわかりました。

また、海藻嫌いの次男にすき昆布の煮もの

鉄とカルシウムが豊富な食品

カルシウム　1日の所要量500mg	食品（g）幼児が1回に食べられる量	鉄　1日の所要量8mg
220	普通牛乳　200	0.02
110	脱脂粉乳　10	0.05
63	プロセスチーズ　10	0.03
25.5	全卵　50	0.9
9.4	オートミール　20	0.8
135	わかさぎ　30	0.2
52	しらす干し　10	0.08
24	ぶどう豆　30	1.3
30	油揚げ　10	0.4
66	凍豆腐　10	0.7
60	炒りごま　5	0.5
14.7	ほうれん草　30	0.6
51	小松菜　30	0.8
52	大根葉　20	0.6
16.2	切り干し大根　3	0.3
28	ひじき　2	1
20	さつま芋　50	0.35

るからと一つの栄養素ばかり多量にとっては偏ります。テレビのCMにまどわされず、子どものうちから自然の旨味が覚えられる食生活にしていきたいものです。

　鉄やカルシウムをとるための大豆、卵、乳製品は、三大アレルゲンとよばれるものでもあります。アレルギーのある子どもはこれらが食べられませんから、ますますとりにくい栄養素になってしまう…、だからこそ、青菜や海藻、小魚といった、それにとってかわる食品をしっかりとりたいものです。また、アレルギーでなくても、ひとつの栄養素はひとつの食品からとるものではないことをわかって、いろいろな種類を食べるように心がけてください。

食事調べをしてみたら…

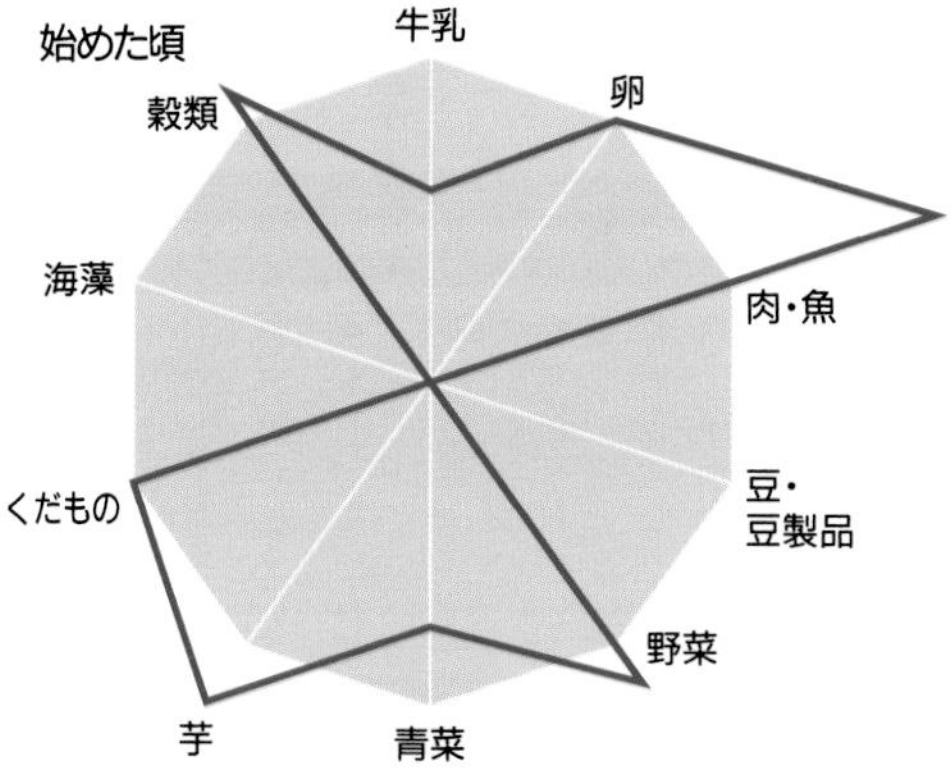

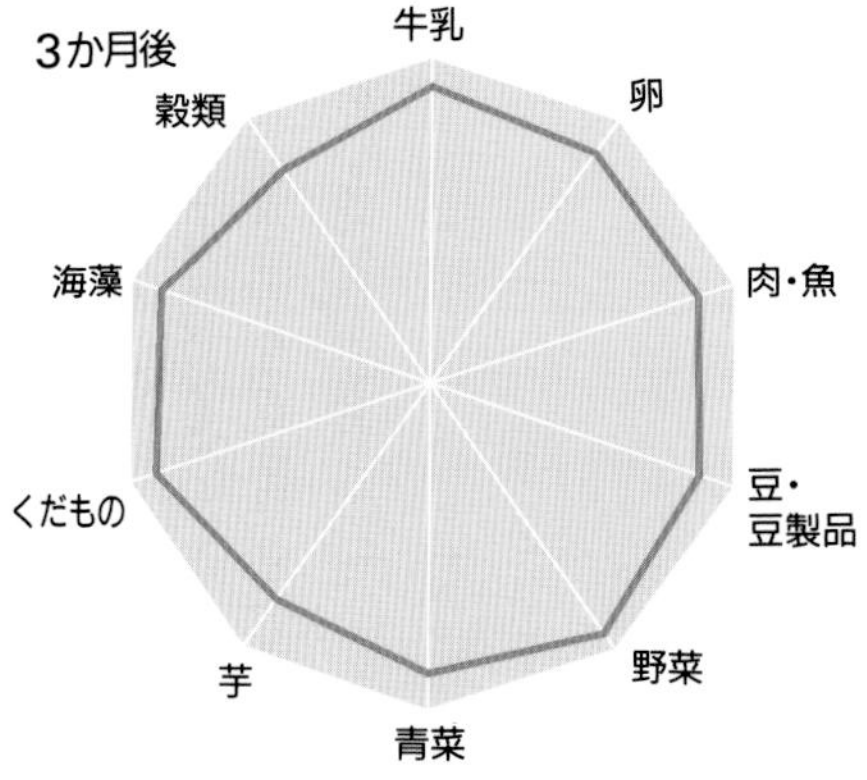

これは右の高岡さんの食事調べです。
桃色の正十角形が目安量ですから、それに形が近いほどバランスよく食べられている証拠。
ただ36頁のように子どもの個体差を考えれば，大きさはこのくらいで充分です。

を出してみますと、「つるつるつるつる」といって、まるでめん類のように食べてしまいました。海藻もやはり、わかめばかりでは嫌になっていたのでしょうね。それからは昆布の佃煮、ふのり、とろろ昆布、ひじきの煮つけと種類も増えました。

　栄養の偏りを少なくするため、食品の種類を多くとることを心がけるとともに、次のことにも気をつけてみました。

●青菜は朝使いたい。そのためには前夜から茹でておく
●海藻は常備菜としていつも煮ておく
●煮豆は二週に一度、必ずつくる
●豆腐を主菜にする料理を覚える
●野菜の常備菜のレパートリーを増やす

　今は、ずいぶんバランスのとれた食生活ができるようになりました。

（高岡智子）

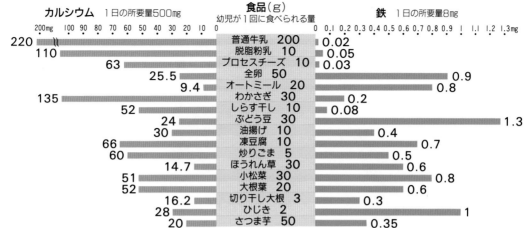

とりすぎの栄養素
おやつの実態から

糖分、脂肪分、塩分、エネルギーなどのとりすぎの問題は、料理もさることながら、高脂肪、高カロリーのお菓子の食べすぎも見逃せません。子どもは甘いものが大好きですが、とりすぎは要注意！　ときにはさつま芋やヨーグルト、くだものなど素材の味をたのしむおやつに。

ある日のおやつをのぞいてみたら……

Hくん　4歳

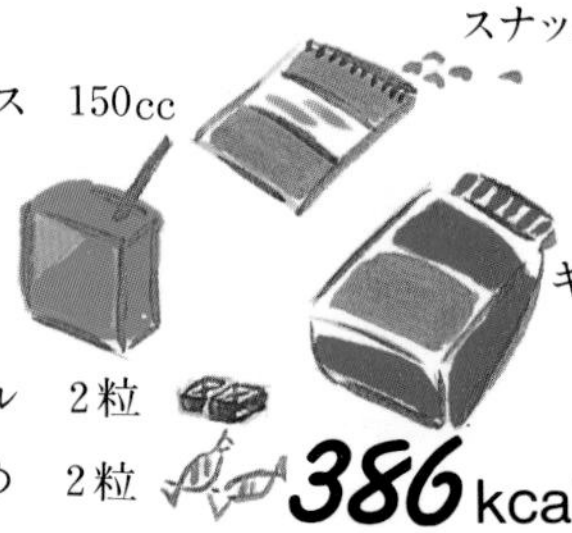

386kcal

●糖分のとりすぎですね。だいたい、30gくらいはあるでしょう。何と目安量の2倍！　ジュースを牛乳に変える、それだけで10gは減ります。

Aちゃん　4歳

184kcal

●巻き寿司とあんぱんというとり合わせはどうでしょう。どちらかをくだものに変えてみては？　お菓子だけでないのはいいですね。

Yくん　5歳

393kcal

●スナック菓子は高カロリー。これではおやつだけで油脂が18.5gと1日の目安量以上です。とり合わせをよく考えて。

Kちゃん　3歳

210kcal

●ファーストフードのおやつです。市販の物は味が濃いのでくせになりやすいもの。家庭でつくれば味も糖分も調節できるのですが…。

牛乳はおやつで飲まないと、
1日の摂取量がとりにくい……

市販のお菓子に含まれる砂糖と塩とエネルギー

砂糖・エネルギー		
チョコレート(1枚約60g)	24g	300kcal
カステラ(1切れ約60g)	15g	175kcal
炭酸飲料(1本250mℓ)	9g	100kcal
あめ(2粒約10g)	8g	40kcal
バニラアイスクリーム(100g)		180kcal
ショートケーキ(100g)		300kcal

1～5歳、1日の砂糖の目安量は10～15g
エネルギー所要量は910～1600kcal

塩・エネルギー		
ポテトチップス(1袋約80g)	0.5g	430kcal
コーンスナック(1袋約80g)	1.3g	430kcal

早め早めの台所仕事

一日四回の食事づくりは、計画なしではとても実行できません。献立、買物、調理に毎回「追われる」ことをなくすには、早め、先手に考えて動くことです。このくりまわしは、日々の実行の積み重ねで、だんだん上手になっていきます。

この頁は、全国友の会の幼児を持つ一七〇家庭から、「子どもを待たせないための食事づくりはどうしたらよいか」というテーマで、アンケートをお寄せいただき、その結果を中心にまとめました。

先手仕事でゆとりある生活を

Nちゃん親子のある一日

早ね、早おきの規則正しい生活は、大人にとってもよい習慣です。気ままな大人だけの生活より、子どもが生まれてからの方が、かえって健康的になったという人もいるほどです。幼児をかかえての家事は、こまぎれの時間を上手に生かしましょう。

子ども

6:30 **おきる** 朝食までに30分ほど余裕をもって

7:00 **朝食** 家族揃って食べます

一人遊び

外遊び お日さまの下で力一杯遊ぶ

11:30 **昼食**

午前6時　7時　8時　9時　10時　11時

母

6:00 **おきる** 朝食づくりをしっかりと

7:00 **朝食** 朝食の片付けと一緒に昼食の下準備（炒り卵つくる　青菜茹でる　とりそぼろ冷凍庫から出す）

洗濯　掃除 家事を、九時までにきり上げて、子どもと一緒に外へ

11:30 **昼食** 外から帰ってすぐに食べられるように

この日の献立

朝　食

パン　牛乳　半熟卵
茹で野菜のごま味噌ドレッシング
（キャベツ、にんじん、ピーマン）

昼　食

三色ごはん
（炒り卵、とりそぼろ、しらす入り青菜）
ひじきと大豆の煮もの
さつま芋のレモン煮

おやつ

カナッペ
（チーズ、いちごジャム、
ピーナツバターのせ）
はっさく　牛乳

夕　食

ごはん　味噌汁（豆腐、わかめ、ねぎ）
サワラの照り焼き
かぶの塩茹で　かぼちゃの甘煮
煮びたし（青菜、きのこ、もやし）

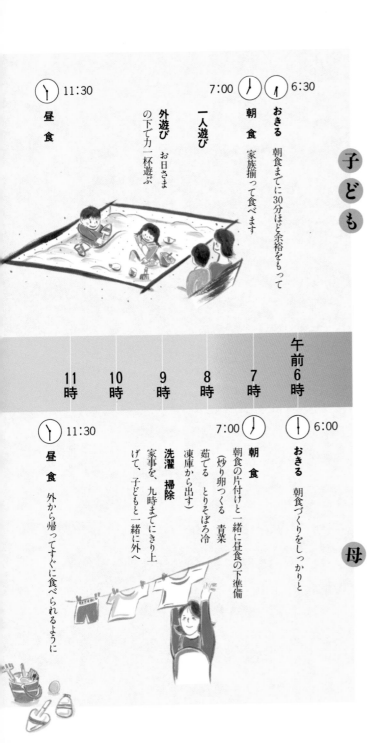

昼ね

2:30

おやつ

遊ぶ

おなかをすかせて、ぐっすり眠るために、もうひと遊び

6:00

夕食

お父さんの帰宅が遅い時も、子どもは時間どおりに！

お風呂

8:00

ねる

12時	午後1時	2時	3時	4時	5時	6時	7時	8時	9時	10時	11時

子どもが昼ねの間、ひと息ついたら、夕食やおやつの下準備

（サワラに下味をつける。かぼちゃの甘煮。かぶ皮むき。お米をとぐ。煮干しを水に）

2:30

おやつ

5:00

夕食用意にかかる

（煮びたし、味噌汁をつくる。魚を焼く）

6:00

夕食

後片付けのときに、翌朝使う野菜を洗う、刻む

疲れすぎないように、休息も

ねる前の10分は翌朝のための点検を。台所、居間をととのえる。戸締り、火の元

11:00

ねる

明日のために、あまり夜ふかしをせず

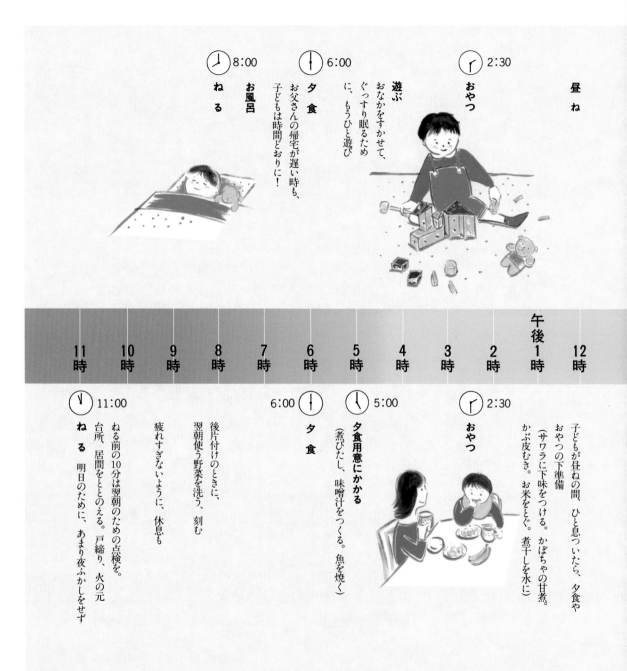

お母さんたちの伝言板

おなかをすかせて、機嫌の悪い子どもを待たせながらの食事づくりを〝最大のストレス〟という人もいるほどですが、そうかといって決して、おざなりにできないのが食べることです。

では、どんなことをすれば台所仕事がらくになるでしょう。「忙しい、めんどうだ」と、一日中イライラすごすのも、次の食事まで頭に入れて、ゆったりとニコニコできるのも、そのわかれ道となるのは、時間の使い方のようです。

短い時間を活用する合間仕事

まとめづくりや、買いものから帰ってからの整理などにまとまった二時間があれば、理想的ですが、子どもが幼児期には、三十分もあれば宝もの。いわば、こまぎれ時間の中でつくるのがうでの見せどころだと思います。

まず第一歩は先手頭《あたま》（先手仕事する時間がなくても）さえあれば、今度時間ができたら「野菜を洗って切っておく、茹でておく、お米をといでおく」などなどに、すぐとりかかれます。

また、洗い物をしている間、ガス台を休ませない。葉ものをゆがく、だしをとる、煮豆、煮こみなどをします。

（N・N　九・七・三歳）

十分、二十分の短い時間でも、合間ができたらお米をとぐ、野菜を洗う、皮をむいておく、切る、または一品でもつくるなど、こまめに動きます。

（N・W　三歳）

朝の片付けのとき、おやつ用のゼリーをつくって冷蔵庫へ。芋はふかしておく。

（K・H　二歳）

先手仕事の大切さを感じます

おなかのすいた子どもを待たせない食事というのは、家庭円満の秘訣の一つだと思います。私の姑は手順のよい人で、朝から夕食の煮ものやたきこみごはんを用意していて、私が訪ねて行くと、それをもたせてくれるような人です。

何事も後手後手になって、あわてるタイプの私は何とか見習いたいと思います。三人の子育てをしながら、手ぬきしない食事づくりとは、早め早めの先手仕事しかないことがわかってきました。

（S・T　四歳）

まず献立を立てる

献立は三日分ずつ立てるのが一番やりやすいと思います。残ったり、材料を使わなかったりすることがあるので、その調整をしながらということで、三日分が適当です。

（M・S　六・三歳）

親が忙しくしていると、つい食事を簡単にすませてしまいます。ですから、くりまわしを意識した献立を立て、毎食ごとに「何にしようか」とその日ぐらしをしないで、先を見越したまとめづくりをします。後が少しでもらくになるように考えています。

（N・K　十・八歳）

ゆとりを生み出すためにも

子どもがねたあとは、自分の時間、そして主人との時間を大切にしたいので台所には立たないようにしています。その分、子どもが幼稚園に行っている間にパン焼き、夕食下ごしらえ、常備菜づくりなど忙しくしています。

（N・M　六歳）

朝食に手間をかけないために

夕食の残りで、朝食の一品を考えている。

●粉ふき芋→ベーコンと玉葱炒め

●ほうれん草のおひたし→ココット、卵料理に入れる。

（T・A　六歳）

夕食片付けのときに、翌朝用の野菜を用意しておく。野菜たっぷりのスープ、炒めもの、サラダなど。そうしないとどうしても朝食の野菜が少なくなってしまう。

（N・T　四・二歳）

昼ごはん 私はこうしています

朝の片付けのとき、チャーハンの具を炒めておくと、公園から帰って、仕上げとちょっと野菜をつけるだけで、十分で食べられます。

（K・T　五・四・一歳）

わが家はめん類が多いのですが、前日の夕食をくりまわすこともあります。

●天ぷら→うどん・丼

●カレー→カレーうどん

●とんかつ→サンドイッチ・丼

●ハンバーグ→ハンバーガー

また、冷凍したものを利用するときは、チャーハン、オムライス、お好み焼き、スパゲッティ、ドライカレーなど、手早く用意できるものにします。

（J・I　四歳）

夕食用意は 早目にとりかかる

夕食準備を昼のうちから早目にすることで気持ちに余裕ができ、夕方イライラしなくなりました。子どもも早ね、早おきができて、表情も安定しているようです。

（M・H　五・二歳）

食事時間を守るように心がけています。特に上の子どもは幼稚園でも、帰ってからも思いっきり遊び、夕方はくたくたです。夕食前に眠そうにしていることが多いので、六時夕食と決め、そのために早目に仕度をはじめること、常備菜をつくること、多めにつくりおきしたものを冷凍しておきます。

（E・N　四・二歳）

食事準備がスムーズにできないと、子どもがおなかをすかせてぐずり、ますます仕事がすすまないので、ついお菓子を与えると、肝心の食事が食べられないことになります。また、小学生の兄、主人の父（77歳）との五人家族なので、フリージングと常備菜づくりをしておかないと、とても食事ができません。

（A・H　八・二歳）

買いもの
これだけあればもう安心

何をどれだけ食べたらよいか、見当がついたら大まかでも献立を立てて買いものへ。考えなしに出かけると、何をつくるか迷ったり、忘れものをしたり、無駄なものまで買ってしまうことにもなります。

買いものの前に

冷凍・冷蔵庫内のチェックをして必要なものをメモする。

生協のようなまとめ買いは「買ったものメモ」をはっておき、使ったものを消してから翌週の注文をすると無駄買いをしないでしょう。

まず材料が台所にあること

きちんと献立が決まっていなくても、下図のように家族の目安量を頭において買いましょう。材料が揃っていれば、思いたったときすぐ調理にとりかかれますし、栄養も偏りません。

多種類の食品を毎日買いものするのでは大変です。保存のきくもの、きかないものを分け、アンケ

いつも頭に入れておきたい家族の目安量

この例は一家三人（父・母・子ども３歳）の三日分の総量です。36頁を参考にそれぞれの家庭の分量を出してください。

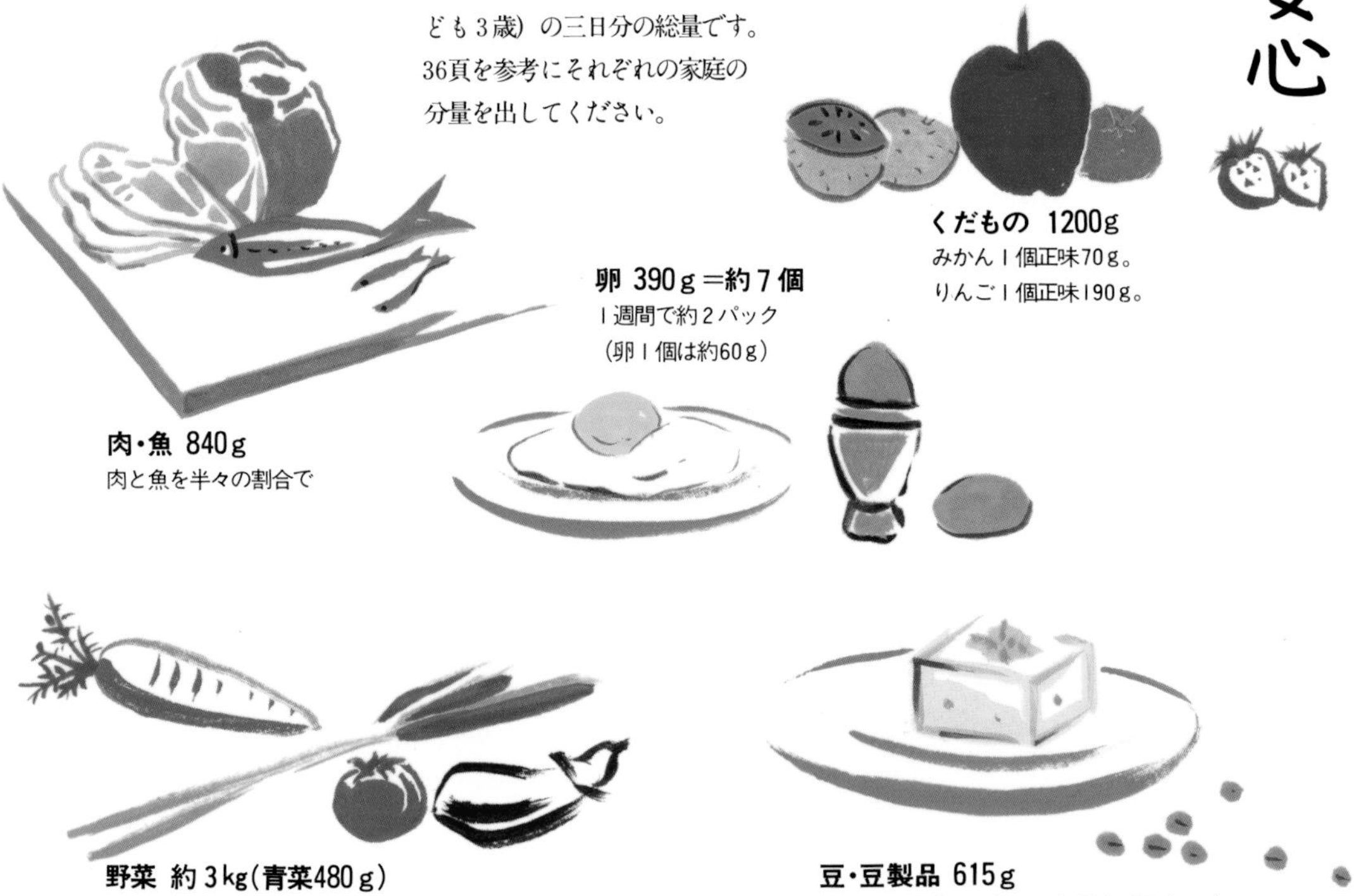

くだもの 1200g
みかん１個正味70g。
りんご１個正味190g。

卵 390g＝約７個
１週間で約２パック
（卵１個は約60g）

肉・魚 840g
肉と魚を半々の割合で

野菜 約3kg（青菜480g）
野菜の種類はできるだけ多く。

豆・豆製品 615g
豆腐１丁半（450g）＋味噌汁２回（70g）＋油揚げ１枚（30g）＋大豆や納豆などで。

ートから多かったものを、左表にまとめました。

天気が悪かったり、子どもの具合が悪くて買いものに行けないときにも、缶詰、乾物、冷凍品、根菜類、くだものなどが台所に確保できていれば、それだけで安心です。

買いものは計画的に

一か月に一度買う
〈常備しておきたいもの〉

乾　物
干し椎茸　昆布　春雨　麩 海藻（わかめ　ひじき　昆布　のり） ごま　高野豆腐　切り干し大根

乳製品
チーズ　スキムミルク

調味料
味噌　醬油　ソース　ケチャップ 油脂類（油　マーガリン　バター） 砂糖　塩　煮干し　カツオ節 片栗粉　ゼラチン　粉寒天

穀　類
米　小麦粉　乾めん （うどん　そば　スパゲッティ）

缶　詰
魚介水煮（ホタテ　サケ）　ツナ缶 トマト水煮　コーン缶

冷凍食品
ミックスベジタブル　コーン グリンピース　かぼちゃ　いんげん

一週間に一度買う
〈重いもの　かさばるもの〉

野　菜
芋類（じゃが芋　さつま芋　里芋） にんじん　玉ねぎ　長ねぎ かぼちゃ　ごぼう　大根 キャベツ　白菜　ピーマン　など

乳製品　卵
ヨーグルト　卵

豆製品
油揚げ　納豆

くだもの
季節のもの

二、三日に一度買う
〈生鮮食品〉

肉　魚 豆腐　厚揚げ　がんもどき　など 牛乳　小魚 野菜　青菜　もやし　レタス　など

乳・乳製品 約2.5kg
1ℓパック2本半

芋類 450g
じゃが芋なら中5〜6個分。

私の先手仕事あれこれ

「あなたの先手仕事、手づくり常備菜は……」の質問に答えていただいた中から、おすすめしたいくりまわしの知恵を集めてみました。時間がない……という前に、一つでも実行できそうなものから始めてみては？　回を重ねるごとに実力がつき、たのしくなってくるでしょう。

茹でた青菜に冷蔵庫の指定席を！

44人

ほうれん草や大根葉などの青菜は、多めに茹でていつも冷蔵庫に。

毎日の食卓に欠かせない青菜のひと皿が茹でてさえあれば、おひたし、和えもの、ソテーなどがあっという間です。

おひたし・和えもの　ごま・のり・おかか・じゃこ・錦糸卵・大根おろし・梅肉・油揚げ・干しエビなどと和えたり、かけたり。

煮びたし　小松菜・京菜・チンゲン菜などあくのない野菜で。薄めの煮汁でさっと煮ます。油揚げ、厚揚げ、サクラエビ、じゃこなどと合わせても。（101頁）

お芋　毎日食べていますか

40人

茹でたお芋があると便利です。

じゃが芋

まとめて茹でて、あつあつは塩かバターが一番おいしいですね。

●茹でてあれば

フライドポテト・農夫の朝めし（109頁）・ジャーマンポテト（109頁）チーズポテト（60頁）・グラタン・コンビーフと炒め焼きなど、手間なし料理です。

●マッシュしたものは

コロッケ・ポテトサラダ・マッシュポテト・ポタージュ　などに。マッシュしてあれば冷凍保存もできます。

さつま芋

ほどよい自然の甘みが持ち味のさつま芋は、ふかしてそのままでもおいしいのですが、〝甘煮〟にすると二～三日はもつので昼食のつけ合わせなどに便利です。

●甘煮　レモン煮　オレンジ煮　バター煮など（110頁）。

まとめて茹でると時間と手間の節約です

30人

野菜いろいろ蒸したり茹でたり。

野菜を、今使う分より少し多めに茹でたり、二～三種類まとめて蒸すなどしておくと、時間と手間の節約になります。茹でておける野菜と、その使い道を集めてみました。

いんげん・さやえんどう・にんじん（ソテーや煮ものに）

れんこん・ごぼう（煮もの・酢漬け・揚げものに）

かぼちゃ（煮もの・コロッケ・スープの具）

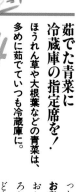

野　菜

アンケート170人中

バランスのよい食事には野菜料理が欠かせません。野菜は洗う、皮をむく、刻む、茹でるなど思いのほか手間のかかるもの。忙しいとつい調理の簡単な肉・魚料理に頼りがちです。献立、買いもののときから野菜の種類と量を心がけ、季節のものを上手にとり合わせてたっぷりと食卓に。手間を一度にまとめると、そこから余裕も生まれてくるでしょう。

食卓の彩り　にんじんをきらさずに　46人

子どもはおいしそうに見える赤色が好き。どこかにちょっとあるだけで食卓全体が華やぎます。どれも簡単ですから少し多めにつくりおき、おいしいうちに食べましょう。

たらこ和え
グラッセ（102頁）
甘煮
しらすにんじん
あちゃら煮
味噌漬け
にんじん・昆布の三杯酢　など

季節の野菜でペーストを　11人

茹でて裏ごした野菜のペーストで、ポタージュやソースを。自然の色が鮮やかです。ミキサーがあれば簡単。多めにつくって冷凍ストックを。

緑　小松菜　ほうれん草
白　大根　豆　かぶ
　　じゃが芋　カリフラワー
黄　かぼちゃ　コーン
赤　にんじん　トマト

つくりおきしてさらにおいしい常備菜　104人

きんぴら

炒めて甘辛醤油をからませるだけの"きんぴら料理"。「便利な常備菜」の筆頭にあげられます。冷蔵・冷凍どちらでも。ひじきや煮豆などと同じく小さなアルミカップに入れて冷凍しておけば、おべんとうに便利。ごぼうやれんこんのほか、ピーマン、大根、セロリ、じゃが芋などできんぴらや佃煮風にも。

きんぴらごぼう・きんぴられんこん（111頁）・五目きんぴら。

即席漬け・甘酢漬け　116人

軽く塩をするだけで日もちする、重宝なサラダ感覚の漬けものです。とり合わせる材料や調味液で変化をつけて、一品たりないとき、彩りがさびしいときにどうぞ。

甘酢漬け・ピクルス　かぶ・れんこん・にんじん・カリフラワー・大根・柚子・きゅうり・キャベツなどで（111頁）。

酢れんこん　れんこんを軽く茹で甘酢に漬ける（111頁）。

煮なます・五目なます　ごぼう・れんこん・にんじん・干し椎茸・糸こんにゃくを炒め調味液を含ませる。

マリネ・即席漬け

野菜の煮もの　11人

ひと鍋煮てあれば安心の煮もの。大切りにしてさっと仕込み、あとは時間がおいしく仕上げてくれます。里芋、筍、にんじん、椎茸、れんこん、ごぼう、大根、かぼちゃ、かぶ、いんげんなどで。

かぼちゃの甘煮（102頁）・炒りどり（106頁）
・炊き合わせ。

残り野菜・くず野菜も捨てないで……

野菜がスープの素として欠かせないのをご存知ですか？　残り野菜でも充分おいしいスープに役立ちます。また、いろんな種類をまとめてピューレやポタージュにも。半端な野菜の入れ場所を決めておくと便利です。

肉・魚

アンケート170人中

ひき肉料理は、ちょっと手間がかかります。でも経済的で子ども向き。そのせいでしょうか、まとめづくりをしているお母さんがこんなにいました。何といっても主菜ができていることは、忙しいときの大きな助けです。

ひき肉に限らずくせがなく柔らかいとり肉も調味料で工夫しながら多めに。豚のかたまり肉はそのまま火にかける手間なし調理。サンドイッチやサラダ、和えものなどハムがわりに。

かたまり肉

紅茶豚53人　焼き豚31人　茹で豚24人（82頁）　煮豚11人（83頁）　塩豚8人（82頁）

●紅茶豚のつくり方

豚肩ロース500gを2個　ティーバッグ2袋　漬け汁（醤油カップ1　酒・みりん各カップ½　酢カップ¼）

豚肉はティーバッグを入れた湯で煮て中まで火を通し、ひと煮立ちさせた漬け汁にひと晩漬けおく。

とり肉

蒸しどり27人（82頁）　から揚げ5人（81頁）　ロールチキン5人　梅酒煮5人　炒りどり4人（106頁）　照り焼き4人　南蛮漬け3人　香味焼き3人（78頁）

●とりの鍋照り焼きのつくり方

フライパンに油を熱し、粉をまぶしたとり肉を皮を下にして入れて焼き色をつけながら中まで火を通す。とり出して鍋をさっと拭き、たれを入れて⅔量まで煮つめ、肉をもどし入れて両面につやよくからめる。そぎ切りにするときれい。たれは肉400gに醤油、みりん、酒、砂糖を各大さじ3、2、1.5、1杯で。

ひき肉

ハンバーグ58人（71頁）　ミートソース31人（76頁）　肉だんご46人（74頁）ミートローフ31人（71頁）　そぼろ29人（118頁）　ぎょうざ28人　ひき肉野菜炒め21人　しゅうまい17人（77頁）　松風焼き6人

●野菜肉味噌のつくり方

とりひき肉200g　味噌200g　玉ねぎ1個　にんじん½本　干し椎茸4枚　ピーマン1個　生姜少々

ひき肉とピーマン以外の野菜のみじん切りを炒め、椎茸のもどし汁½カップと味噌を入れ、ちょうどよいかたさになるまで木しゃもじでねり、仕上げに茹でたピーマンのみじん切りを入れます（長期保存のときは入れません）。熱いごはんにのせたり、ふろふき大根や茹でたこんにゃくにかける、せん切りきゅうりや茹でたもやしと一緒に中華めんにかけるなど使い方はさまざま。サラダ菜やレタスの芯にごはんをおき、肉味噌をのせて巻くのもよく、豆腐と炒め合わせて忙しい日の一品に。

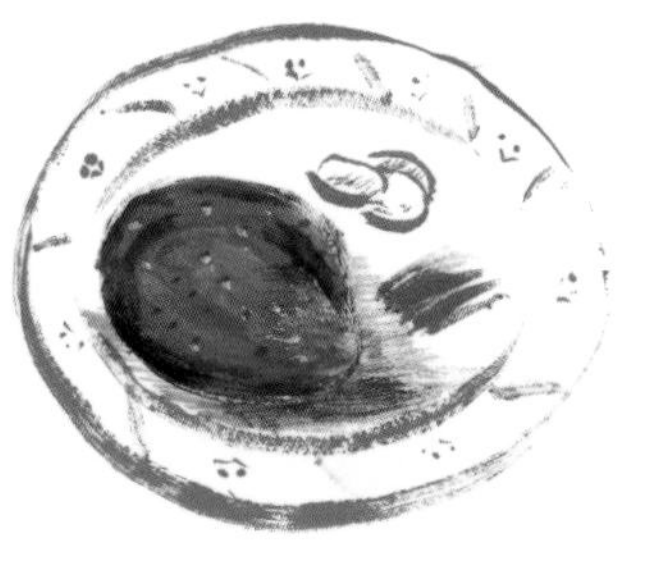

魚

肉ばかりでなく魚もまとめづくりができます。マリネ、南蛮漬けなど日もちのするものを旬の魚で多めにつくり、冷蔵・冷凍で保存を。

南蛮漬け20人（91頁）　生姜煮・佃煮24人（112頁）　鮭そぼろ11人（91頁）　かば焼き8人（86頁）　味噌漬け6人（91頁）　つみれ5人（93頁）

乾　物

アンケート170人中

買いおきのできる乾物を使った常備菜は微量栄養素の宝庫です。中でもひじきや切り干し大根は、鉄、カルシウムの含有量が多く、豆もたんぱく質のほかに微量栄養素が豊富。アンケートの中には「5の日は豆の日、月に3回煮ます」という方もありました。ぜひ定期的につくることをおすすめします。

ひじきの煮もの（113頁）

115人

「ひじきと青菜を忘れず食べれば元気いっぱい」といいたいくらいです。油揚げ、にんじん、しらたき、椎茸を加えた五目煮がおなじみ、他になまり節、すき昆布、茹で大豆、じゃこなど入れると違った風味になります。

煮　豆

99人

大豆、黒豆、金時豆、うぐいす豆、白いんげんなどで。夜、水にひたし、翌朝すぐに火にかけると、朝の片付けが終わる頃にはでき上がります。

干し椎茸の甘辛煮

46人

せん切り、丸のままの二種類で冷蔵・冷凍。五目ごはん、すし、うどん、そば、茶碗蒸しなどに。

切り干し大根（114頁）

104人

その日の献立になくても、とりあえずひと袋水にもどす、それが切り干し大根を食卓に出すコツ。もどしてあれば、味噌汁、煮ものに、湯がいてハリハリ漬け（114頁）、酢のものなどに。

すき昆布の煮もの（114頁）

77人

ひじきと同じように油揚げやにんじんと。もどす、煮るともに短時間、冷凍保存もできるので一枚単位で煮てしまいましょう。

茹で大豆（96頁）

55人

ひと晩水にひたした豆なら圧力鍋で20分。まとめて茹でたものは小分けにして冷凍。ポークビーンズ、サモサ、かき揚げ、ミートソース煮、手羽先と大豆の煮ものなどに。

五目豆（97頁）

36人

大豆、昆布、にんじん、こんにゃく、椎茸などが入るので、忙しくて料理に手がかけられないとき、この一品があると食品数が増えて大助かりです。

ふりかけ（113頁）

11人

子どもに人気のふりかけも、市販品は添加物が気になります。けずりガツオ、蒸し昆布、干魚、サクラエビ、煮干し、ごま、青のり、かぶや大根葉などで手づくりを。

高野豆腐

30人

含め煮にしておべんとう用、食事用と切り方を変えて冷凍。まぜごはんの具、おすしの芯、卵とじに。

手づくりおやつ・これなら簡単

つくり慣れれば手間なしの蒸しパンやゼリー。手のかかるケーキやクッキーは、まとめてつくってくりまわし、ときにはとりたての野菜、茹でたての豆など素材そのもののおやつも新鮮なもの。これらを上手に組み合わせれば〝手づくりおやつ〟はたのしく気軽に用意できます。

シンプルな材料でさっとつくるもの

どれもこれも30分もあればできるもの。一度にたくさんつくるより、少しずつ何度もつくって慣れましょう。

芋を使って

●さつま芋のミルク煮　(126頁)

●茶巾しぼり

ふかしたさつま芋に砂糖、牛乳を入れてつぶし、あたたかいうちに1個分ずつ布巾かラップで包んでかるくひねります。

●チーズポテト

蒸したじゃが芋の皮を布巾でむき、あつあつのうちにスライスチーズをかぶせると、チーズのおまんじゅうのようになります。彩りにパセリをふって（電子レンジのときは中1個3分くらい）。

スナック風

●にら入りおやき　(123頁)

●ピザトースト

●カナッペ　(41頁)

●ぎょうざの皮巻きチーズ

スティックに切ったチーズをぎょうざの皮でくるりと巻き、油をひいたフライパンでころがします。

粉を使って

●蒸しパン　(121頁)

●クレープ　(122頁)

●ホットケーキ　(122頁)

●ココアスクエアー　(123頁)

白玉だんご

和菓子は買うもの、と決めこまないで。簡単なだんごのつくり方もレパートリーに。

●白玉だんごとその応用（126頁）

寒天・くず粉を使って

●クリームゼリー　(126頁)

●フルーツゼリー　(126頁)

●黒砂糖のくずもち　(123頁)

●フルーツヨーグルト

プレーンヨーグルトにいちご・キウイ・バナナ・パイナップルなど季節のくだものを刻んで。好みで粉糖をかけます。

いつも手元に置きたいストックいろいろ

油揚げやわかめ、すりごまなどがさっと出てくるありがたさは格別。切らしたくないストックです。

油揚げ

冷蔵では日もちのしない油揚げですが、適当な大きさに刻んで冷凍保存しておくと便利です。味噌汁の具、煮もの、炒め煮など少量ずつ使うときに効果を上げます。

塩蔵わかめ

切ってあるだけで、食卓に登場する回数が確実に増えます。洗わず、塩のついたままひと口大に刻み、保存。味噌汁の具、酢のもの、和えもの、煮びたし、サラダなどに。

パセリ

洗って水けを切ってから茎をとり、ポリ袋に入れて冷凍し、手早く袋ごともむとみじん切りのようになります。グラタン、スパゲッティ、サラダなどの彩りに。

半ずりごま

香ばしく炒って半ずりにし冷凍。冷凍しても粉末状態はかわらないので、使いたい分だけさっととり出せます。ごまはカルシウムと鉄分の宝庫です。酢のもの、サラダ、和えものにたっぷり使いましょう。ミキサーを使ってまとめてするのも簡単です。

梅肉

梅干しの果肉を包丁でたたき、ペースト状にして保存。おにぎりの具、うどんの薬味、簡単おつゆの風味づけ、酢のもの、和えものなど、梅干しを使うものなら何にでも便利です。

季節感を大切に

素材の味を生かして

スティック野菜
にんじん、きゅうり、セロリなどにマヨネーズ、味噌をつけて。

とうもろこし
茹でたて、焼きたてが一番。

枝豆・そら豆
色よく茹でた豆のおいしさは子どもにもよくわかります。

するめ
香ばしいするめは軽くあぶってかむほどに味が出ます。

野菜チップス
じゃが芋、さつま芋、れんこん、かぼちゃなどスライサーで薄くスライス。160～170℃の油で揚げる。

ふかし芋
さつま芋、じゃが芋、里芋を蒸して。塩味、バター味、チーズ味で。

小魚・ごまめ
カリカリとした歯ごたえの香ばしいおやつ。かるく炒って。

まとめてつくる

月に1～2度、子どもとたのしくお菓子づくり。天板一杯に焼いて全部食べてしまっては糖分過剰ですから、何回分かにストックを。

クッキー
冷凍した種を必要なときにとり出して焼きます。焼いてからストックも可。
●型ぬきクッキー　(122頁)
●アイスボックスクッキー(122頁)
どちらの種もレーズン、アーモンド、ごま、ココアなどを加えて、応用はいろいろに。

野菜ケーキ
ときには野菜やくだものもケーキに入れて。冷凍はひと切れずつにします。
●小松菜の蒸しケーキ　(125頁)
●キャロットケーキ　(125頁)
●りんごのケーキ　(124頁)

ケーキ・タルト
●バタースポンジ　(124頁)
アレンジひとつでバリエーションが広がります。焼き型や加えるもので手づくりのよさを発揮。
●パンプキンチーズタルト(125頁)
おなじみのパンプキンタルトにチーズを加えて栄養満点。保存は焼き上げて冷凍。

冷たいお菓子
●シャーベット　(126頁)
淡雪のような味わいでさわやかな風味です。レモンのしぼり汁、プレーンヨーグルト、もも、あんず缶の裏ごしなどでバリエーション。

ねり味噌
おいしいねり味噌があれば、ふろふき大根、田楽はもちろん、ピーマン、なす、里芋などの野菜も茹でたり焼いたりするだけで立派な一品です。ねり味噌は材料を鍋に入れ、よくまぜて弱火にかけ適度な柔らかさになるまでしゃもじでねります。冷蔵庫で保存。
（材料　味噌200g　砂糖70g　水大さじ6　みりん大さじ4）

煮干し・昆布・干し椎茸
煮干しは一袋まとめて頭と腹わたをとり、昆布は一回分がさっととり出せるように切っておく。また干し椎茸も石づきを折りとっておくだけでかさが減り、もどし時間も短くなります。どれも湿らない容器に入れて保存。こうしてあるだけで、インスタントのだしの素を使う回数が減るのはうれしいこと。子どもと一緒にできるたのしい仕事です。

ホワイト　ルー
粉をバターとサラダ油で炒めたホワイトソースの素。牛乳やスープでのばすだけですから子どもの好きなポタージュ、グラタン、ドリアなども気軽につくれます。保存は冷蔵庫。
1単位の材料（でき上がり約3/4カップ）
小麦粉100g　バター・サラダ油各35g
厚手鍋にバターとサラダ油を入れ、弱火にかけます。バターがとけたら粉を入れ、ぱさぱさの状態がゆるみ、つややかになって、粉に火が通るまで木杓子で根気よく炒めます。

外出の日、忙しい日ほど準備よく

忙しいからといってすぐに外食や店屋ものに頼るのでなく、こんなときこそ先手に準備することが大切。たとえば主菜は下味だけつけておき帰宅後、焼くだけにする、冷凍品は冷蔵庫におろしていくなどちょっとした心がけで夕方あわてずにすみ、子どもに笑顔を向けるゆとりも生まれてくるでしょう。

ひと皿ひと鍋で肉も野菜も

前日からつくりおける煮こみ料理、ごはんが炊き上がる間が勝負の丼もの、材料の用意さえしておけばあとは簡単な鍋ものなど、たっぷりの野菜と肉をひとつに仕上げる料理は忙しい日の切り札です。

煮る　煮こむ

つくりおいてなじんだ味は、時間が調理してくれた賜物《たまもの》。あたためなおすだけですぐ食べられます。

牛こまシチュー風

夏野菜と牛肉を煮こむ幼児向きシチュー。なす、ピーマン、トマト、玉ねぎ、椎茸は角切り。にんじんはいちょう切り、セロリは薄い小口切りにします。にんにくのみじん切りを炒めて牛肉を加え、野菜も入れ、トマトジュース、ベイリーフ、スープの素で1時間ほど煮こみます。味つけは、塩、醬油、こしょう、ケチャップで。

ひき肉カレー　(116頁)
ハヤシライス　(116頁)
豚キャベツ　(80頁)
おでん　(81頁)
クリームシチュー　(67頁)
グラタン　(67頁)
ポトフ　(89頁)
ロールキャベツ　(73頁)
豚汁　(106頁)
けんちん汁　(106頁)
ポークビーンズ　(96頁)

出かける前にこうしておきます

一に献立、二に手順

●つくり慣れたメニューで献立を立て、冷蔵庫にはる。それだけでも台所に立ったときの仕事の早さが違うように思う。（K・N　七・四歳）

●外出日には「献立」があるとないとでは大違い。冷蔵庫のものや買いおきのものを使って献立を立て、帰ったら一番にすること、次にすることぐらいは考えておく。忙しい日の方が緊張しているせいか、短時間で夕食がととのう。（Y・O　七・五・二歳）

お米はといで出かけます

●朝どんなに急ぐときでも、お米だけはといでから出かけます。味噌汁の煮干しも水につけておけば、やはり帰ってからがらくです。（T・Y　四歳）

冷凍品の解凍準備は朝

●献立にあわせて材料をたしかめ、冷凍庫のものは冷蔵庫に移してから出かけます。移し忘れると、帰ってからカチンカチンの肉やスープを前に泣きたくなります。（Y・S　五歳）

主菜に下味をつける

●肉や魚に下味をつけて出かけます。たとえば豚肉を生姜風味の中華だれに、とり肉にレモンと玉ね

鍋もの風

栄養満点の鍋ものですが、子どもが小さい一時期は、卓上で煮ないで台所で仕上げてしまう方が安全。だから〝鍋もの風〟です。

とりの水炊き ＜とり・白菜・ねぎ・春菊・豆腐・きのこ＞

豚ちり ＜豚肉薄切り・ほうれん草・白菜＞

魚すき ＜鰯三枚おろし・大根・豆腐・椎茸 春菊・ねぎ・ごぼう＞

キャベツと牛肉 ＜牛肉・キャベツ・春菊…を生卵と醬油で＞

鍋もののだし

水炊き・ちり鍋は昆布だし。ポン酢やごまだれで。

寄せ鍋は昆布とカツオ節のだし。

＜だし５カップ・濃口醬油大さじ５・みりん・酒各大さじ４・塩小さじ１＞

蒸し煮

さっと炒め、蓋をして弱火で蒸し煮。野菜の水分だけで煮るのでおいしさも格別です。

夏野菜の蒸し煮 ＜牛肉・玉ねぎ・トマト・なす・きゅうり・ピーマン・セロリ・きのこ ふり塩で＞

ベーコン・キャベツの重ね蒸し ＜辛子醬油 酢醬油で＞

ベーコン、フランクフルトの蒸し焼き ＜キャベツ・玉ねぎ・にんじん・塩＞

丼もの

野菜も一緒にほかほかごはんにのせて。簡単な和えものとあたたかい汁ものでも添えて。

牛丼 ＜牛肉・しらたき・玉ねぎ・春菊＞

親子丼 ＜とり肉・玉ねぎ・卵・三つ葉＞

三色丼 ＜炒り卵・ひき肉そぼろ・青み＞

豚肉と青菜の丼

ターツァイは5㎝長さ、かるく炒めてあつあつのごはんにのせます。その上にさっと茹でて、たれ（醬油とみりん１対２の割で合わせ、半量に煮つめる）をくぐらせた豚肉（しゃぶしゃぶ用）をおき、たれを少々かけます。大人用にはこしょうや白髪ねぎも添えて。

ぎのスライスを重ねる、焼き魚に塩をする……など。こうしておけば後はさっと焼くだけ。

（S・A　五・七歳）

つくりおくのは野菜料理

●コールスロー、即席ピクルスなど、いろんな野菜がとれて、つくりおきのできるものを前日に用意。味がなじんでおいしくなります。漬けものも野菜の一品と思って、ぬか床にいつも何かしら入れています。

（S・K　五歳）

頼りになるのは〝調理ずみ料理〟

●たとえ外出しなくても、何をしでかすかわからない三歳児をかかえての毎日は忙しい。姿が見えなくなって探しまわったり、怪我をして病院へかけこんだりと、食事用意ができないことがよくあります。そんなときは多めにつくって冷凍しておいたバターライスにカレーやビーフストロガノフをかけたり、肉ちまき、たきこみごはん、煮こみハンバーグ、ミートソースなど、調理ずみのものでピンチをしのぎます。素材をいくらたくさん冷凍しておいてもどうにもならず、「材料はあるんだけれど……」と苦い思いを何度もした結果です。

（M・N　三歳）

出かけるときはおべんとうを

家にいれば、四回食は時間通りに守ることができますが、外出日にくずれることはありませんか。

おなかがすいて、ぐずる子どもにお菓子をもたせたり、食堂に入るとジュースやアイスクリームばかり食べては、室内を走りまわる姿などよく見かけます。いつでも、どこでも食べられるおべんとうをもって出かけることは、子どもにもたのしみなことです。

Kくんのある日のおべんとう

小さいおむすび　のり　ごま　青のり
フィッシュボール　にんじんグラッセ
ブロッコリー　ひじき五目煮入り卵焼き

詰めるときのポイント

衛生に気をつけて

腐敗を防ぐ。詰める前は必ず火を通し、冷ましてから。汁けの多いおかずは避ける。ねりもの、カスタードクリーム入りのパンなどはいたみやすいので、ことに夏季は注意。

栄養のバランスを考えて

●食品の分量と組み合わせの目安

梅干し大一〜二歳　15g
　　　　三〜五歳　20g
（38頁参照）

肉か魚	●
卵か豆	●
野菜	●●●●
ごはん	●●●●

食べやすく

梅干し大なら口に入りやすく、こぼさない。

味よく、彩りよく

味の違うものを詰め合わせる（濃い味　薄味　甘味　酸味）
赤・緑・黄・白・黒・茶をとり合わせると、自然に栄養のバランスもよくなる。

手をかけない方法

夕食、朝食からのくりまわしを主に。常備菜があると便利。

おやつを持っていくときは

くだもの、クッキーなど。市販品ならば適当な分量を小分けにして。

家でも食べています

朝食後、すぐに昼用のおべんとうをつくります。在宅の日は、外遊びから帰ってすぐに食べて昼ね。とてもスムーズにできました。外出日は、それに水筒も持参し、おなかがすいたときには、どこでも食べられて、機嫌よくすごせます。　（M・Y　十・三歳）

主人や上の子のおべんとうをつくるついでに、私と子どもの分もつくっておきます。そうすると、午前中公園での遊びに、じっくりつき合えます。　（K・S　七・三歳）

準備なしで急にはつくれない

仕事が休みの日は、常備菜、煮豆を多目につくって、ふだんの食事やおべんとうのおかずに活用しています。　（M・O　六・二歳）

おべんとうに入れられる一品（から揚げ、ハンバーグ、カツ、ぎょうざなど）をつくったときは、小分けして、冷凍しておきます。　（K・A　四歳）

外出する月、金曜の前夜（日、木曜）は、子どもがねた後、翌日もっていくおべんとう用の常備菜をつくります。主に夕食の残りを利用していますが、一品でも新しいものが入ると喜ぶので。　（S・M　五・二歳）

主人が毎日おべんとう持ちなので、夜、下ごしらえをします。魚や肉は、下味をつけ、野菜は茹でて、朝の調理がらくになるようにします。大人一人分をつくっていると子ども用はすぐにできます。　（K・S　三歳）

材料別料理とおやつ230種

１歳を過ぎたら、子どもだけに特別な料理をつくることはありません。大人と一緒にたのしく食卓を囲み、同じものを小皿にとり分けましょう。お父さん、お母さんが本当においしいと思うものをつくることが第一です。ただ小さいうちは切り方や、まるめる大きさなどは、幼い手や、口の大きさを意識して——。

　また、子どもは味に敏感です。大人は濃い味に慣れていることもありますから、素材そのものの味を大切にしながら、台所に立ちましょう。

　料理中は、手を清潔にし、きちんとエプロンをかけ、布巾、台拭きはこまめに洗うことも忘れずに。

●材料は、大人２人、子ども２人分の分量を目安に表記、カップ１杯は200cc、大さじ１杯は15cc、小さじ１杯は５ccのことです。

牛乳・卵料理

牛乳　牛乳は下記のように栄養価の高いものですから、子どもはもちろん、家族中で毎日飲めたらよいものです。1日の子どもの目安量は400ccですが、ことに冬はその分量がとりにくいので、料理にもおおいに活用しましょう。ホワイトソースを使った料理をはじめ、洋風の煮もの、ゼリーなどのおやつの中に加えることもできます。

　また、スキムミルクは牛乳の脂肪分を除いた栄養価の高いものですから、常備しておくと牛乳の買いおきのないときに助かります。

卵　茹で卵のまるく黄色い切り口は、子どもにとってなんてたのしい食べものでしょう。経済的で、しかも調理に手間がかからず、栄養素バランスも抜群ですから、毎日の料理、ことに朝食には心強い素材です。69ページのように野菜をたっぷりと添えれば、彩りにさそわれてさらに食欲もすすむことでしょう。

　古いものはサルモネラ菌が繁殖し、生で食べると中毒をおこす心配がありますから、買うときは日づけの新しいものを選び、1週間を目安に使いきります。

栄養メモ

牛乳　乳とは普通、生乳、牛乳、特別牛乳、やぎ乳、脱脂乳、加工乳、乳飲料をさします。生乳は乳牛からさく乳し、何も処理をしていない乳のことです。乳の中でも特に牛乳は、たんぱく質の栄養価が高く、低級脂肪を多く含み、粒子が細かく、消化吸収率のよい飲み物です。ビタミンは特にB_2にすぐれています。さらに脂溶性ビタミンのA、D、Eをも含んでいます。牛乳中のカルシウムとリンの含まれ方は1対1の割合であり、理想的な比率です。牛乳のこの特徴を生かすには、そのまま飲用する方がよいのですが、加熱する場合は、60～65℃以上で長時間加熱しないようにしましょう。せっかくの栄養価が失われてしまいます。

卵　卵類には鶏卵、うずらの卵、アヒルの卵などがあります。この中で鶏卵を単に卵と呼ぶことが多いようです。卵白にはカリウム、ナトリウムが多く、卵黄にはカルシウム、リン、鉄が多く含まれます。卵にはビタミンCが含まれないことが一つの特徴です。ビタミンA、B_2、その他B_6、D、Eも含まれます。脂溶性ビタミンは卵黄中に多く含まれます。鶏卵は完全食品といわれます。たんぱく質、脂肪、ビタミン類、ミネラル類などをほとんど含んでいるからです。特にたんぱく質を構成しているアミノ酸の組成がよいのです。鶏卵は生、半熟、そして固茹でても喫食可能です。しかしその消化率は異なり、半熟程度に加熱したものは、生と同様に消化率はよく、たんぱく質と脂肪ともに90%以上です。

(岡﨑光子)

ホワイトソースを使って

ホワイトソース

覚えやすいこの割合はマカロニ、野菜のグラタン、ドリアなどに向く柔らかさ。これを牛乳やスープでのばしていくと肉や魚のクリームソースやシチューに。牛乳を減らすとコロッケなどによい濃いソースになります。

―材料―

1単位 でき上がり約2カップ
- バター、小麦粉……各30g
- 牛乳……カップ2½
- 塩……小さじ⅓

①粉はふるっておく。
②厚手鍋にバターを入れて弱火にかける。バターがとけたら、粉を入れ、焦がさないように、さらさらになるまで木じゃくしでよく炒める。
③一度火からおろし、牛乳を冷たいまま、一度に加え、ダマにならないようによくまぜる。
④再び火にもどして強火にし、ゆっくりと鍋底をこするようにまぜていく。
⑤煮立ってきたら弱火にし、かきまぜながら7〜8分煮つめ、塩で味をととのえる。

マカロニグラタン

―材料―

- マカロニ(乾)……150g
- 卵(茹でて輪切り)……3個
- 玉ねぎ(薄切り)……½個
- 生椎茸(薄切り)……4枚
- 塩……小さじ⅓
- ホワイトソース……1単位分
- サラダ油　こしょう
- バター　粉チーズ

①マカロニは柔らかく茹で、サラダ油少量をまぶしておく。
②サラダ油を熱し、玉ねぎをすきとおるほどに炒め、生椎茸を加えて炒め、塩、こしょうする。
③ソースの½量で①と②を和え、バターをぬったグラタン皿に平らに入れる。
④卵をのせ、残りのホワイトソースをかけ、粉チーズをふりかける。180〜200℃にあたためておいたオーブン(またはオーブントースター)の上段に入れ、表面によい焼き色がつくまで焼く。

ホワイトソースと相性のよいもの
とり肉、白身魚、サケ、カキ、エビ、卵、ほうれん草、ブロッコリー、かぼちゃ、じゃが芋、きのこなど。

とりのクリームシチュー

材料を炒めながら粉をふりこむひと鍋でつくるシチューです。

―材料―

- とりもも肉(ひと口大)……300g
- 塩、こしょう、小麦粉…各少々
- 玉ねぎ(みじん切り)……½個
- サラダ油……大さじ1
- バター……大さじ2
- 小麦粉……大さじ3
- スープ(スープの素1個)……カップ2
- じゃが芋(小さい乱切り)……大2個
- にんじん(小さい乱切り)……小1本
- セロリ(小さい乱切り)……10cm
- 生椎茸(ひと口大)……3〜4枚
- ベイリーフ……1枚
- 牛乳……カップ1〜1½
- 塩……小さじ⅔

●カリフラワー、ブロッコリー、きのこを加えても。
●とり肉のかわりにサケ、タラ、カキなど、旬の味も楽しんで。

①とり肉に塩、こしょうし、粉を薄くまぶす。
②厚手鍋にサラダ油を熱して玉ねぎを炒め、すき通ったらバターを加えてとり肉を炒める。
③粉をふりこみさらに炒め、全体になじんだら焦げないうちにスープを注いで、ときのばす。
④椎茸以外の野菜を加え、ベイリーフを入れて途中あくを除きながら野菜が柔らかくなるまで煮る。
⑤牛乳と椎茸を加え、塩味をととのえ、火を通して仕上げる。
●盛りつけてからパセリをちらしてもよい。
●残ったら翌日煮つめて、ライスグラタンにも。

とりのクリームシチュー

卵が主役のおかず

茶わん蒸し三種

離乳期から親しんできた茶わん蒸し、これからは具もいろいろに。

基本の茶わん蒸し

材料

卵汁
- 卵……2個
- だし……カップ2
- 酒・みりん……各小さじ1
- 塩……小さじ½
- 醤油……小さじ1

とり肉(ひと口大に切る)……50g
干し椎茸(もどす 薄切り)……3～4枚
むきエビ(背わたをとる)……40g
きぬさや(茹でる)……4枚

①とり肉、椎茸、エビは塩と酒少少(分量外)で下味をつける。
②だしを調味して冷まし、とき卵と合わせてこし、卵汁をつくる。
③蒸し茶わんに①を入れ、卵汁を注ぎ入れ、湯気の上がった蒸し器に入れる(茶わんの蓋はしない)。
④強火で2分、弱火にして12～13分蒸す。仕上げにきぬさやを飾る。

肉あんかけ

材料

とりひき肉100g／醤油大さじ1½／砂糖、みりん、酒各大さじ½／水カップ½／生姜みじん切り少々／片栗粉小さじ2

鍋に水と調味料を煮立て、生姜とひき肉を入れて炒りつける。パラパラになったら片栗粉の水どきでとろみをつけて、具を入れない基本の茶わん蒸しをつくってかける。

洋風茶わん蒸し

洋風茶わん蒸し

材料

卵2個／スープ(スープの素1個)100cc／牛乳100cc／しめじ100g／ハム50g

しめじは小房に分けて湯通し、ハムは短めのせん切りに。
卵をといてスープと牛乳を注ぎ、材料を加える。基本と同じように蒸す。

ホタテの卵焼き

かにたまのアレンジ。忙しいときに常備の缶詰めを使うと便利です。

ホタテの卵焼き

材料

ホタテ貝水煮缶(フレーク)……小1缶
卵 } まぜておく……3～4個
塩 } ……小さじ¼
玉ねぎ(みじん切り)……¼個
生椎茸(短めのせん切り)……3枚
ピーマン(短めのせん切り)……2個
サラダ油……大さじ3
あん
- スープ(缶汁も)……カップ¾
- 砂糖……大さじ½
- 酢……大さじ½
- 醤油……小さじ1
- 片栗粉……小さじ1

①ホタテ貝はほぐす。
②中華鍋を熱して、油をまわし入れ、玉ねぎ、椎茸、ピーマン、ホタテ貝を順に加えながら炒める。
③そこにときほぐした卵を一度に入れ、大きくまぜる。
④卵が半熟になったら裏返し、さっと焼いて皿に移す。くずれやすいので、切り分けて返してもよい。
⑤別鍋にあんの材料を入れて煮立て、卵にかける。

コーン入りかきたま

コーン入りかきたま

材料

卵……2個
スィートコーン(クリーム)……小1缶
生椎茸……2枚
スープ(スープの素1個)……カップ4
塩……小さじ½
片栗粉(水大さじ4でとく)……大さじ1½

①鍋にスープをつくり、コーンと薄切りにした生椎茸を加えて、煮立てる。
②塩で味をととのえ、水どき片栗粉を入れてとろみをつける。
③再び煮立たせ箸でかきまぜながら、とき卵を高い所から細く、ゆっくりと流し入れ、火を止める。
●コーンのかわりにトマトとレタスをとり合わせてもおいしい。

卵料理に野菜をたっぷり添えて

野菜と組み合わせることで卵料理にも変化がつき、食卓がたのしくなるでしょう。

五目卵とじ

材料

とりもも肉（ひと口大そぎ切り）……100g
にんじん（短冊切り）……4cm
玉ねぎ（薄切り）……½個
長ねぎ（斜め切り）……20cm
ほうれん草（茹でて切る）……⅓わ
卵……2個
煮汁
だしカップ2／醤油大さじ3
砂糖、みりん、酒各大さじ1
●青みは季節に合わせてかえる

①とり肉はさっと湯通しする。
②煮汁を合わせ、とり肉、にんじん、玉ねぎを加えて煮はじめる。

五目卵とじ

③煮立ったらあくをすくい、3〜4分煮てから、ねぎとほうれん草を加え、ひと煮立ちしてからとき卵をまわし入れる。
④かたまりはじめたら静かに鍋をゆすって半熟で火を止め、蓋をして余熱で蒸らす。

野菜にのせる目玉焼き

ベーコンやハムでなく、野菜を敷いて蒸し煮にし、ふんわり仕上げる。卵1個に野菜は60〜70gを。

じゃが芋　フライパンにサラダ油をひき、せん切りのじゃが芋（水にさらさない）を平らに入れ、塩、こしょうして弱火で九分通り火をとおし、上に卵を割り入れ、蓋をして蒸し煮にし、半熟加減で火を止める。

キャベツとにんじん　キャベツは粗くちぎり、せん切りのにんじんと炒め合わせて塩、こしょう。

生椎茸と玉ねぎ　野菜は薄切り。玉ねぎをよく炒め、椎茸を加えてざっと炒めて塩、こしょう。

ブロッコリーとトマト　トマトの輪切りをサラダ油で両面焼き、小房に分けて茹でたブロッコリーを加え、かるく塩、こしょう。

電子レンジでココット風に

ほうれん草　小さなカップにバターをぬり、茹でたほうれん草を入れて塩、こしょう。その上に卵を割り入れ、水少々を加えてラップをする。レンジの中心をはずしておき1分加熱。ようすをみて、白みがかたまっていなければなお30秒ほどかけて蒸らす。

和風ミニオムレツ

写真76ページ

玉ねぎ・ひき肉炒め（76頁）にひじきの煮もの（113頁）をまぜた具を用意する。卵は1個ずつときほぐして塩、こしょうで調味。フライパンに油を熱して卵を流し入れる。かたまりかけたころ大さじ1杯見当で具をのせ、両端を折るようにして包みこむ。

シンプルな料理のコツ

茹で卵
たっぷりの水に卵を入れて火にかけ、沸騰させる。最も消化のよい半熟卵は沸騰後4〜5分、サラダやサンドイッチの具によいかた茹でには10〜12分茹でで、すぐ水にとって冷やす。

ポーチド・エッグ
塩と酢少々を加えて湯を煮立て、火を弱めてから器に割った卵を入れる。卵白が白くなり始めたらフォークで形をととのえ、2分半〜3分半煮て冷水にとる。しそやバジルなどを入れたバターソースやレモン汁をかけても。

炒り卵
鍋に、卵と調味料（卵1個に、砂糖小さじ1、塩ひとつまみ）を入れてまぜる。中火にかけ、箸4〜5本で手早くかきまぜ、半熟くらいで、ぬれ布巾の上におろし、余熱でしっとりと炒り上げる。おべんとうにはよく火を通す。

薄焼き卵
フライパンに油をよくなじませることがポイント。炒り卵と同様に調味してよくまぜ合わせ、フライパンに薄く流し入れ、表面が乾きはじめたら裏返し、ひと呼吸おいてとり出す。
卵1個に片栗粉小さじ⅓杯を同量の水でといて加えると扱いやすい。

肉料理

1歳を迎えて離乳食卒業。これからは幼児食なので、大人と同じものが食べられる……でも最初からステーキやトンカツ？

1～2歳のころは咀《そ》しゃくの面からも「離乳完成期」という考え方もあるくらいですから、はじめは食べやすく、消化もよい肉料理から食卓にのせましょう。かむ力の充分でない小さな子どもも、ひき肉料理は食べやすいものです。くせもなく淡白で柔らかいとり肉料理もよく、薄切り肉の料理をとり分けてほぐしてあげることもできます。ようすをみながらよく煮こんだかたまり肉などもお皿にのせ、そのうち小さく切ればステーキだって、トンカツだって食べられるようになるでしょう。

ひき肉料理は手はかかりますが、野菜やいろいろな素材をまぜて変化をつけられるのが利点です。ミートローフなど、しぜんに食品数も増え、ボリュームもでるので、たんぱく質のとりすぎも防げます。また、肉料理のおいしさは火の通し加減で決まります。コチコチのとりのから揚げではせっかくの柔らかさもだいなしですね。焼きすぎ、煮すぎはかえって肉質をかたくするので注意しましょう。

栄養メモ

肉は、畜肉(牛、豚、馬、羊)、獣肉(猪)、家禽《きん》肉(とり、七面鳥、うずら、アヒル)、野鳥肉(カモ、キジ、スズメ)に分類されます。栄養成分は一般に筋肉は、水分が大部分で、ほかは、たんぱく質、脂肪が含まれます。たんぱく質のアミノ酸組成はよく、栄養価も高いものです。脂肪は99％位が中性脂肪です。肉の中のビタミンは比較的安定しており、特に豚肉中のビタミンB_1は、比較的熱に強いため、貴重なビタミンB_1源です。牛肉、豚肉ともに部位により肉質には特徴があるので、それぞれに適した調理法を用いましょう。硬い肉（例えば肩の肉）は弱火でよく煮て、柔らかくなってから味をつけるとよいでしょう。とり肉は牛肉、豚肉と異なり、新鮮なものほどおいしい肉です。鮮度がよく、肉がしまり、皮と肉の間に適度の脂肪があるものが最上のものです。

レバーは肉質に比較し、ビタミンAを多量に含みます。その他、ビタミンB_1、B_2、B_6、Cなども含みます。無機質の中では特に鉄の量が多くなっています。豚のレバーは味にくせはありますが、くさみはそれほど強くありません。とりのレバーは柔らかく、くさみも少ないのですが、風味は若干、劣ります。成牛のレバーは豚やとりに比較しますと、くさみがあります。

（岡崎光子）

ハンバーグのたねを使って

子どもたちになんといっても人気のあるハンバーグ。近頃は既製品がよく売れているとか。でも、子どもが好きなものこそお母さんの手でつくりたいですね。既製品はラードをねりこんだ高脂肪で柔らかなもの、しかも化学調味料の加わった味……。それに比べ、肉と野菜をたっぷり入れて食物繊維が多い家庭のハンバーグは、ほどよい歯ごたえでしぜんにかむ習慣もつきます。「既製品」と「手づくり」、似て非なるものとはこのことでしょう。まずは基本のたねの割合を覚え、次頁のようにバリエーションを広げましょう。

ハンバーグ野菜あんかけ

ハンバーグ

こんがりと香りよく焼いたハンバーグのおいしさは、ほとんどかわらずに、冷凍できるので2～3回分まとめてつくるのもよい。小さく丸めておべんとう用に、ちょっと薄めはハンバーガー用になどとつくり分け、解凍したら野菜と煮こんだりあんをからめたり、ときにはトマトの薄切りととろけるチーズをのせてオーブントースターで焼いてもたのしい。

基本のたね（材料は次頁）を丸める。この分量は大5個分なので、そのうち2個を半分サイズにするとよい。油を熱したフライパンに入れ、中央を少しへこませ、中火にかける。焼き色がついたら返し、蓋をして中まで火を通して仕上げる。

野菜あんかけ

野菜は1cmの色紙切り（トマトは角切り）に。フライパンを熱して油をひき、玉ねぎ、にんじん、セロリ、ピーマン、生椎茸、トマトの順に炒める。スープと塩を加えて蓋をし、弱火で10分ほど煮る。仕上げに水どき片栗粉を加えて、とろみをつける。

材料

野菜あん
- 玉ねぎ……小½個
- にんじん……20g
- セロリ……⅓本
- 青(赤)ピーマン……2個
- 生椎茸……2枚
- トマト……小1個
- サラダ油……大さじ1
- 水……2カップ
- スープの素……1個
- 塩……ひとつまみ
- 片栗粉(水大さじ3杯でとく)……大さじ1

●ソースで変化を

アップルソース

りんご1個の皮をむき、いちょう切りにし、塩ひとつまみ、砂糖小さじ1杯、水カップ1を鍋に入れ柔らかくなるまで煮る。最後にしゃもじでりんごをくずしながら、バター小さじ1杯を加える。

ケチャップソース

トマトケチャップ3に、ウスターソース1をまぜておく。肉を焼いたあとの鍋に湯を少量入れ、鍋底をこそげ、ソースを加えて煮立たせる。

ホワイトソース (67頁)

ホワイトソース½カップに半量の牛乳か、スープを加えて火にかけてゆるめ、塩、こしょうで調味する。とろけるチーズを加えても。

ミートローフ

次頁の基本のたねを型に入れたり、かまぼこ型にしてオーブンで焼く。焼く手間はハンバーグとは比べものにならないほど簡単なので、大人数のときに便利。茹で卵や野菜をまぜこんで変化をつけて――。

油をぬったパウンド型に基本のたねを入れ170℃のオーブンで約50分焼く。途中焦げてきたらホイルをかぶせる。竹串をさして、澄んだ汁が出ればよい。

●つけ合わせのじゃが芋、玉ねぎは皮つきのまま2つ切りにして、ミートローフと一緒に最初から焼く。ピーマンは種をくりぬいて、最後の15分くらい一緒に焼く。

ハンバーグのたねを使って

ミートボールのトマト煮

材料

基本のたね……**1単位**
サラダ油……大さじ2
小麦粉……適宜
ベイリーフ……1枚
にんにく(つぶす)……1片
トマト(ざく切り)……小1個
玉ねぎ(薄切り)……1個(200g)
にんじん(いちょう切り)……100g
セロリ(小口切り)……1/2本
塩、こしょう……各少々
スープ(スープの素1個)……カップ2
パセリ(みじん切り)……少々

①たねを梅干し大に、または小さいハンバーグ型に丸めて小麦粉をまぶす。
②鍋に油を熱し、肉をさっと焼いてとり出す。
③同じ鍋にベイリーフ、にんにくを入れて香りを出し、玉ねぎ、にんじん、セロリ、トマトの順で炒める。
④油がまわったらスープを入れ、ミートボールも加えて煮こみ、調味料で味をととのえる。
⑤パセリを散らす(茹でたブロッコリーを最後に加えてもきれい)。

イタリア風ミートローフ

基本のたねに、茹でマカロニ(乾燥で20g)、1cmの角切りチーズ(40g)、1cmの色紙切りピーマン(大1個)をまぜ合わせて、トマトケチャップ(大さじ1杯)を加えて調味し、焼き上げる。

野菜入りミートローフ

2、3種類の野菜をとり合わせてまぜると、彩りよくおいしいひと品に。丸めてハンバーグにも応用がきくもの。Ⓐ・Ⓑ・Ⓒのとり合わせはほんの一例です。

材料

Ⓐ
にんじん(1cm色紙)……30g
ホールコーン……大さじ5
グリンピース(茹でる)……大さじ3

Ⓑ
プロセスチーズ(5mm角)……50g
ピーマン(1cm色紙)……2個
生椎茸(1cm角切り)……3枚
じゃが芋(1cm角・茹でる)……100g

Ⓒ
パセリ(粗みじん)……大さじ2~3

ミートパイ

薄力粉150g、バター100g、冷水60~75ccで切りこみのパイをつくってのし、ハンバーグのたねを適量包む(10~12個分)。200℃のオーブンで焼く。

基本のたねのつくり方

材料

(1単位)
合びき肉……300g
玉ねぎ(みじん切り)……中1/2個
食パン……6枚切り1/2枚
(パン粉ならカップ3/4)
牛乳……カップ1/4
卵……小1個
塩小さじ3/4　こしょう少々

ミートボールのトマト煮

イタリア風・野菜入りミートローフ

ミートパイ

スコッチエッグ

スコッチエッグ

肉の中から卵が顔を出すと子どもは大喜びです。

①茹で卵小3個は、まわりに小麦粉をまぶし、たね$\frac{1}{3}$〜$\frac{1}{2}$単位を3等分にして1個ずつ包む。

②小麦粉、とき卵、パン粉の順で衣をつけ、170℃の油で揚げる。

●衣をつけずに、蒸してもよい。

●パウンド型に入れ、オーブンで焼いてもよい。

●うずらの卵を芯にして小さいボールに丸め、フライパンで焼くと、翌日のおべんとうにも便利。

メンチカツ

基本のたねをハンバーグ型に丸め、小麦粉、とき卵、パン粉の順で衣をつける。170℃で中まで火を通すように揚げる。

メンチカツ

食パンは1cmの角切りにして牛乳にひたし、ほぐしておく。玉ねぎはかるく炒め、冷ましておく。ボールにすべての材料と塩、こしょうを合わせてよくねりまぜる。

ロールキャベツ

子ども用には中の小さい葉を使うとすぐ煮えて、繊維も柔らかく食べやすい。2〜3回分まとめてつくり、保存分は生のまま冷凍し、使うたびに煮こむ方が味がよい。

材料

- **基本のたね**…$\frac{1}{2}$**単位（肉150g分）**
- キャベツの葉（大小合わせて）……6〜8枚
- 水（スープの素$\frac{1}{2}$個）……カップ1
- 牛乳……カップ$\frac{1}{3}$
- 片栗粉……大さじ1
- 塩　こしょう

ロールキャベツ

キャベツは芯を薄くそぎ、さっと茹でておく。たねを6個に分け、子ども用はさらに半分にしてキャベツで包み、ひたひたのスープを注ぎ15〜20分煮こむ。味を確かめて塩、こしょうし、最後に牛乳を入れ、片栗粉の水どきでとろみをつける。

●にんじんや玉ねぎを一緒に入れたり、最後にブロッコリーやさやいんげんなど加えるとつけ合わせも同時にできる。

●牛乳を入れずにトマトピューレでトマト味に、またスープ煮の上にホワイトソースをかけても。

肉詰めピーマン

肉詰めピーマン

もどした干し椎茸3枚はせん切り、筍50gは薄切りにして共に炒め、とりおく。ピーマン4個は2つ割りにし、内側に薄く粉をまぶし、基本のたねの半分を8等分にして詰め、肉の面にも粉をつける。フライパンを熱して油をひき、肉側を下にして焼く。返したところに野菜をもどし、水と椎茸のもどし汁を合わせて1カップにして加え、砂糖小さじ$\frac{1}{2}$杯、醤油小さじ2杯で調味する。10分ほど煮、水どき片栗粉でとろみをつける。

肉だんごを使った料理

肉だんごの酢豚風

材料

揚げ肉だんご約20個(肉200g分)
玉ねぎ……中1個
にんじん……50g
茹で筍……70g
干し椎茸(もどして)……3枚
水(もどし汁も含む)……カップ1
さやえんどう(せん切り)……10枚
サラダ油……大さじ2
合わせ調味料
砂糖　ケチャップ各大さじ2
醤油　片栗粉……各大さじ1
塩……少々
酢……大さじ1⅔

①肉だんごを用意する。
②野菜は全部せん切りにする。さやえんどうはさっと湯がく。
③油を熱して、椎茸、玉ねぎ、筍、にんじんの順に炒め、水(椎茸のもどし汁も含む)を加える。
④野菜に火が通ったら肉だんごを入れ、合わせ調味料をまわし入れてひと煮立ちさせ、火を止めてさやえんどうを散らす。
●さやえんどうなど、少量の下茹でには電子レンジを使うと早い。

肉だんごのスイートコーンかけ

コーンのほのかな甘みで柔らかな味わいに。

材料

茹で肉だんご……20個(肉200g)
スープ(スープの素½個)……カップ½
ブロッコリー……小1株
スイートコーン(クリーム)……小½缶
塩……少々
片栗粉小さじ1　水大さじ1

①ブロッコリーは小房に分けて茹でる。
②スープを煮立ててコーンを加え、塩で調味したあともう一度沸かし、水どき片栗粉をまわし入れてとろみをつけ、肉だんごを入れる。
③肉だんごがあたたまったら、ブロッコリーと一緒に盛りつける。
●ブロッコリーのかわりにチンゲン菜、アスパラガス、白菜なども。
●スープは肉だんごの茹で汁でも。

酢豚風

スィートコーンかけ

肉だんごのつくり方

材料

—単位(約30個分)
豚赤身ひき肉……300g
Ⓐ
塩……小さじ½
長ねぎ(みじん切り)……大さじ2〜3
生姜汁……少々
卵……小1個
水……大さじ3
サラダ油……小さじ1
片栗粉……大さじ1½

①ボールにひき肉とⒶの材料を入れ、粘りがでるまでよくまぜ、片栗粉とサラダ油を加えてまとめる。
②手に薄く油をつけて小さじ山一杯くらいのたねをとり、だんごに丸め、薄く油をひいたバットに並べる。
③熱湯にだんごをひとつずつ落と

とりつくね

時には柔らかな口当たりと淡白な味のとり肉だんごを。和風味に煮含めたり、洋風、中国風の料理にも。

材料

とりひき肉……200g(20個分)
卵黄……小1個
長ねぎ(みじん切り)……大さじ2
塩小さじ1/5／片栗粉大さじ1
だし……カップ1
砂糖……大さじ½
醤油……大さじ1

①肉とその他の材料をよくねりまぜ、20個のだんごをつくる。
②だしと調味料を煮立てて、肉だんごを加え、ときどき返しながらゆっくり煮含める。
③中まで煮えたら火を強め、だんごをころがしながら煮つめて照りよく仕上げる。

とりつくね

野菜との炊き合わせ

肉だんごと野菜の炊き合わせ

いろいろな根菜と一緒に。ひと鍋にちょうどよい分量なので、もし残ったら翌日の昼の丼にでも。

材料

肉だんご……20個（肉200g分）
ごぼう……100g
蓮根……70g
里芋……200g
にんじん……100g
大根……100g
焼き豆腐……½丁
昆布……3×10cm長さ4本
煮干し……5尾
塩……小さじ1
砂糖……大さじ2
醤油……大さじ1
いんげん（またはさやえんどう）少々

①揚げだんご（または焼きつけたもの）を用意する。
②ごぼうはたわしでよく洗い、食べやすい大きさに乱切りにして、酢水に、蓮根もひと口大の乱切りにし、酢水につけておく。
③里芋は、食べやすい大きさに切っておく。
④にんじんは、乱切りに。
⑤大根は2cm厚さの輪切り、さらに食べやすい大きさに切る。
⑥豆腐は2つ切りで2cm厚さに。
⑦昆布は水に数分ひたしてしめらせてから、結び昆布をつくる。
⑧鍋に、煮干し、ごぼう、蓮根、昆布、にんじん、大根、里芋、焼き豆腐、肉だんごの順に入れ、塩、砂糖、醤油を入れて、ひたひたに水を注ぎ、火にかける。
⑨野菜が柔らかくなるまで煮る。
⑩いんげんは茹でて斜め切りにし、さっとまぜて仕上げる。

し、あくをすくいながら静かに茹でる。
④鍋底に沈んでいただんごが浮いてきたら中まで火が通っているのですくい上げる。茹で汁はスープに。

●揚げるときは、最初は低めの温度の油に入れ、仕上げは温度を上げてカラリと。入れはじめの油が高温だと、中が生のうちに外側が焦げてしまうので注意。

白菜との煮こみ

肉だんごと白菜の煮こみ

肉だんごと白菜の相性がぴったりの一皿。だんごはフライパンで色よく焼いてもよい。

材料

揚げ肉だんご約20個（肉200g分）
白菜……400〜500g
サラダ油……大さじ1
スープまたは水……カップ½
醤油……大さじ3

①揚げ肉だんごを用意する。
②白菜は縦半分に切って、そぎ切りに。
③鍋に油を熱して白菜を炒め、しんなりしたところへ肉だんごを並べる。スープと醤油を加えて蓋をし、弱火で20〜30分、柔らかくなるまで煮る。

●白菜のかわりにキャベツ、小松菜でも。
●春雨を入れてもおいしい。寒い季節の夕食に多めにつくって、次の日の昼食にも。

中国風スープ

肉だんごの中国風スープ

材料

肉だんご……約15個（肉150g分）
チンゲン菜……100g
春雨（乾）……20g
干し椎茸（水でもどす）2〜3枚
塩……小さじ⅔

①肉だんごを丸める。
②春雨をボールに入れて湯を注ぎ、しんなりとしたらざるにとり、4cm長さに切る。
③椎茸は薄切りに、チンゲン菜は食べやすく切る。
④鍋に椎茸と、もどし汁を含めてカップ4の水を入れて煮立て、肉だんごを落としていく。
⑤浮いてくるあくをすくってチンゲン菜と春雨を入れ、2〜3分煮て塩で調味する。

●野菜は大根、白菜、トマト、レタス、きのこ類や豆腐など、冷蔵庫にあるもので自在に。分量を増やせば鍋ものに。

玉ねぎ・ひき肉炒めの活用法

使いみちの広い玉ねぎ・ひき肉炒めはまとめてつくっておくと便利です。用意さえあれば、さまざまな料理がスピーディーに仕上がります。料理によって使う量が違いますから、残ったら少量ずつ冷凍。この場合は2〜3週間を目安に。合びきを使えば用途が広がります。

玉ねぎ・ひき肉炒め　1単位

玉ねぎ2個をみじん切りにし、油大さじ1½杯でしんなりとするまでよく炒める。ひき肉400gをほぐしながら加える。火が通ってパラパラにほぐれたら粗熱をとる。

●塩、こしょうは料理に合わせてそのつど加えます。

ドライカレー

½単位を使って

①にんじん4cm、生椎茸4枚をみじん切り、パイン(缶詰め)スライス2枚は5mm幅に切る。レーズン大さじ2杯はぬるま湯につけてもどす。

②鍋に油大さじ1杯を熱して、にんじん、椎茸を炒め、バター大さじ1½、玉ねぎ・ひき肉炒めを加え、小麦粉大さじ1½杯を加えてよく炒める。

③カレー粉小さじ2杯をふり入れてよくまぜ、水、パイン缶の汁、各カップ½杯、スープの素1個、塩小さじ½杯を加え、煮立ったら火を弱め、ときどきまぜながら7〜8分煮つめる。

④トマトケチャップ大さじ1杯を加え、パイン、レーズンを加えてひと煮立ちさせる。

●スパゲッティにも。

ドライカレー

ミートソース

ポテトコロッケ(108頁)

和風ミニオムレツ(69頁)

ミートソース

1単位を使って

①にんにく、生姜各½片をみじん切りにし、油大さじ1杯で炒め、玉ねぎ・ひき肉炒めを加えてバターを大さじ2杯を入れる。

②小麦粉大さじ1½杯をふり入れ、ていねいに炒めてから野菜ジュース(缶)をカップ2杯注ぐ。

③煮立ったら火を弱めてあくをすくい、ベイリーフ、スープの素1個、塩小さじ⅔杯を加えて7〜8分煮つめ、トマトケチャップ、醤油、ウスターソース各大さじ1杯で味をととのえる。

●まとめてつくり、スパゲッティ、オムレツ、じゃが芋重ね焼き、ラザーニャ、ライスグラタンにも。

お好み焼き(119頁)

野菜肉みそ(58頁)

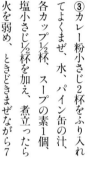

ときにはこんな
ひき肉料理も

和風ハンバーグ

口当たりが柔らかくあっさり味。

材料

とりひき肉……100g
もめん豆腐……1/2丁
卵……小1個
生椎茸(みじん切り)……3枚
長ねぎ(みじん切り)……1/2本
塩小さじ1/3　サラダ油
かけつゆ
{だしカップ1／醤油大さじ1
{みりん小さじ2
大根おろし……250g(10cm分)

①豆腐はかるく押しをして水けをきっておく。
②ボールですべての材料と塩をよくまぜ、ぽってりしたたねにする。
③小さめのハンバーグ型にまとめ、油を熱したフライパンで両面に焼き色をつけ中まで火を通す。
④かけつゆの材料をひと煮立ちさせ、大根おろしを添えてハンバーグにかける。
●辛いものはかけつゆの中で「おろし煮」にしてもよい。

和風ハンバーグ

チキンローフ
パイナップル風味

薄切り肉を巻いたミートローフにパイナップルを添えた華やかなもの。2本まとめてつくるのが、お鍋にちょうどよい分量です。

材料

Ⓐ{とりひき肉……250g
{玉ねぎ(みじん切り)……1/2個
{にんじん(みじん切り)……1/2本
{卵……1/2個
{パン粉……大さじ山3
{塩、こしょう……少々
豚ロース薄切り肉……150g(約6～8枚)
パイナップル缶詰め……小1缶
水　スープの素1個　トマトケチャップ　醤油

①Ⓐの材料をよくまぜ合わせ、ローフ型にととのえる。
②まな板に薄切り肉を少しずつ重ねて広げ、巻きす大にする。その上に①のローフをおき、広げた肉を巻きつけてすっぽり包む。
③浅鍋に油を熱し、肉の合わせ目を下にして鍋に入れ、ころがして色よく焼く。
④パイナップル缶の汁を入れ、肉の半分ぐらいになるまでの水、スープの素を加え、蓋をして中までゆっくり火を通す。
⑤鍋からとり出し、2cm厚さに切り、皿にねかせて盛り、パイナップルを添える。
⑥鍋に残った煮汁を、ケチャップ、醤油各少々で味をととのえてソースにし、パイナップルの上からかける（ソースにトマトピューレを加えてもよい）。

チキンローフ パイナップル風味

しゅうまい

材料

豚ひき肉……200g
玉ねぎ……150g
片栗粉……大さじ4
生姜(おろす)……1片
卵……1/2個
塩……小さじ1/3
砂糖……小さじ1
醤油……小さじ1
しゅうまいの皮……20枚
グリンピース　プロセスチーズ

①玉ねぎをみじん切りにし、片栗粉をまぶしつける。
②肉、生姜、卵、調味料をよくまぜて、玉ねぎを加える。
③しゅうまいの皮でたねを包み、形をととのえる。
④上にグリンピース、角切りチーズなどをのせ、湯気の上がった蒸し器で約8分ほど火を通す。
●白菜、キャベツ、チンゲン菜などを一緒に蒸してもよい。

しゅうまい

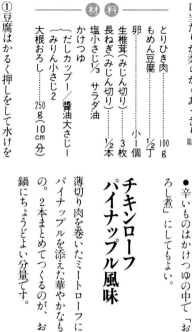

薄切り肉を使って

火の通りの早い薄切り肉でできる手間いらずの主菜。豚しゃぶ風や香味焼きばかりでなく、たとえば、ソテーやとんかつも、食べやすさを考えた薄切り肉で。

ロールポーク

豚しゃぶ風

とり肉の香味焼き

ロールポーク

見た目も、味も満足！　おべんとうにもどうぞ。

材料

豚ロース薄切り……200g（約10枚）
にんじん……100g ｝肉の幅に合わせてせん切り
いんげん……30g ｝
小麦粉、サラダ油……各少々
水……カップ1/2
ケチャップ……大さじ1
塩小さじ1/4　こしょう少々

①にんじん、いんげんを肉の枚数分に等分し、広げた肉の上において端からしっかり巻く。
②巻いた肉に小麦粉をまぶして、油を熱したフライパンに、巻き終りを下にして入れ、ころがしながら全体にかるく焼き色をつける。
③水、塩、こしょうを加えて静かに煮つめ、最後にケチャップを入れて肉にからめる。

●つけ合わせに粉ふき芋などを。
●衣をつけて揚げるとロールカツに。芯の野菜はなくてもよい。
●芯にセロリを巻いてもおいしい。
●ケチャップのかわりに醤油、みりん各小さじ2杯でからめると和風に。

豚しゃぶ風

火の通りが早く、柔らかいしゃぶしゃぶ用の薄切り肉を求め、せん切りの野菜をたっぷりと添えてどうぞ。

材料

豚薄切り肉……300g
片栗粉
つけ合わせ……400g
（きゅうり／もやし／ピーマン／セロリ／にんじん／大根／生わかめ）
ソース
（すりごま……大さじ3
醤油……小さじ1
砂糖……小さじ1/2
水……大さじ3
ごま油……少々
マヨネーズ……大さじ3）

肉は広げ、茶こしを使って薄く片栗粉をまぶす。たっぷりの湯を沸かし、1枚ずつ入れて茹でる。

つけ合わせの野菜はすべてせん切り、わかめはひと口大に。大根、きゅうり、セロリは生で、ほかはさっと茹でてから。肉と一緒に盛りつける。ソースを添えてどうぞ。

とり肉の香味焼き

ごまが香ばしいつけ焼き。下味をつけておけば後は焼くだけ。

材料

とりもも肉（豚・牛肉でも）300g
（醤油、砂糖……各大さじ2
ごま油、いりごま各大さじ1
長ねぎ（みじん切り）大さじ2）
サラダ油……大さじ1

①とり肉は薄くそぎ切りにしてバットに並べ、調味料を合わせて30

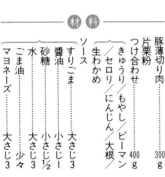

分ぐらいつけおく。
②フライパンに油を熱し、肉をたれごと焼きつける。
●つけ合わせに、ひと塩大根、キャベツ、にんじん、サラダ菜などを添えて。

肉じゃが

材料

牛こま肉……200g
Ⓐ｛砂糖……大さじ1／醤油……大さじ3／水……カップ1/4｝
じゃが芋(乱切り)……400g
玉ねぎ(1cm幅のくし切り)……中1個
にんじん(小さめの乱切り)……50g
水……カップ1
グリンピース(茹でる)大さじ3

①Ⓐを合わせて煮立て、肉をほぐし入れてさっと火を通し、とり出しておく。
②その鍋に水を加え、じゃが芋、にんじんを煮る。途中で玉ねぎも入れ、鍋返しをしながら煮汁が少し残るほどに煮る。
③野菜が柔らかくなったら肉をもどし入れ、グリンピースを加え、ひと煮立ちさせて仕上げる。
●少し多めですが、翌日の昼食にでも。

ポークソテー二種

肉に粉をつけて焼き、とり合わせるソースと野菜で変化をつけてみました。

材料

豚薄切り肉……300g
塩、小麦粉……各少々
サラダ油

薄切り肉を食べやすいように3～4cmに切り、かるく塩。粉を薄くつけてフライパンでさっと両面を焼いてとり出す。

クリームソース

材料

ポークソテー……300g分
玉ねぎ(薄切り)……小1個
トマト(皮をむいて粗みじん)……小1個
ピーマン(せん切り)……2個
牛乳……100cc
トマトケチャップ……大さじ1
塩……小さじ1弱
こしょう　サラダ油

①肉を焼いたあとのフライパンに油をたして、玉ねぎを色がつかないように弱火で炒める。
②5分ほどしてかさが減ってきたらピーマンを加え、トマトも加えて炒め、牛乳を注ぐ。
③塩、こしょう少々、トマトケチャップで調味し、肉をもどし入れて蓋をし、ソースにからませながら3～4分煮る。

きのこソース

材料

ポークソテー……300g分
生椎茸(薄切り)……6個
玉ねぎ(薄切り)……小1個
｛トマトピューレ大さじ3／醤油大さじ2／砂糖大さじ1／水120cc｝
サラダ油

①肉を焼いたあとのフライパンに油を熱し、玉ねぎ、椎茸を炒める。
②肉をもどし入れ、調味料を合わせて加える。強火にして一度煮立たせて、弱火で2～3分煮つめる。

肉じゃが

ポークソテークリームソース

ポークソテーきのこソース

火にかけておけるもの

火にかけておけばひとりでにおいしくなり、たっぷりとしたおかずに。子どものお昼ねの間に夕食準備を。

じゃが芋と豚肉の蒸し煮

じゃが芋と豚肉の蒸し煮

材料

豚肩ロース薄切り……200g
じゃが芋(ひと口大乱切り)……500g
ベーコン……3枚
玉ねぎ(くし切り)……½個
にんじん(ひと口大乱切り)……小1本
にんにく(薄切り)……1片
スープ(スープの素1個)……カップ½
トマトピューレ……大さじ3
ベイリーフ……1枚
サラダ油……大さじ2
塩小さじ1弱　こしょう

①豚肉は、5cmくらいに切り、塩、こしょう。ベーコンは3つに切る。

②厚手鍋に油を熱し、一度火を止める。そこににんにくをちらし、玉ねぎを並べ、じゃが芋の半量を加えてその上に豚肉、にんじん、じゃが芋、ベーコンと順に重ね入れる。

③再び火にかけ、スープ、トマトピューレ、ベイリーフを加えて塩、こしょうで調味、蓋をし、柔らかくなるまで約20分煮る。

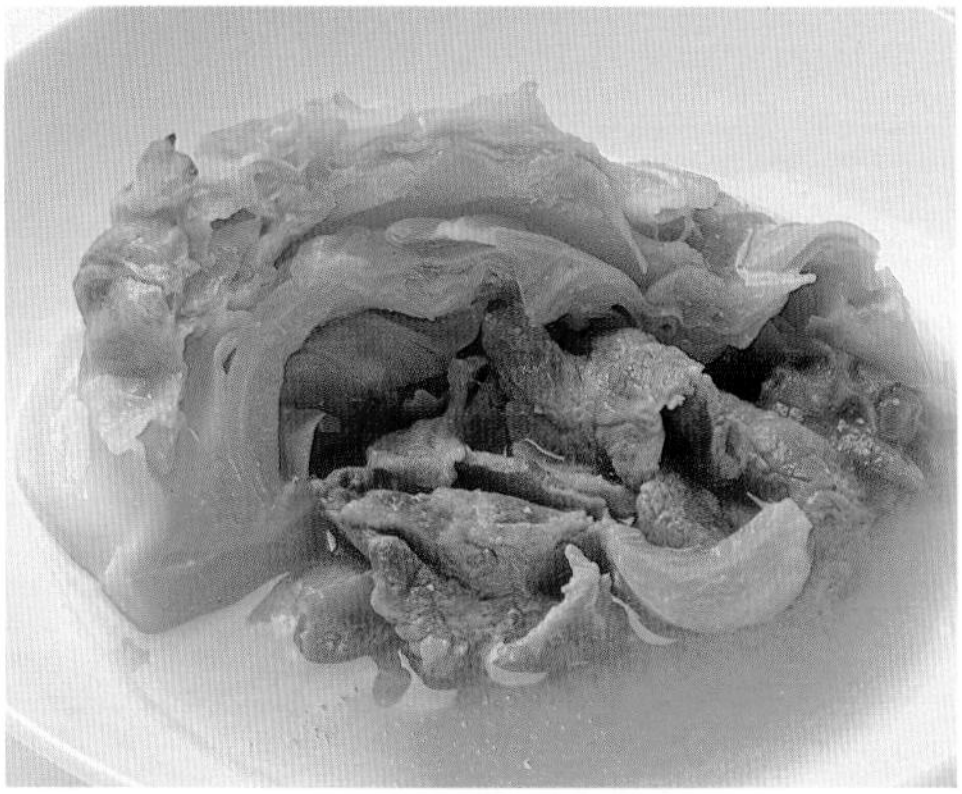

豚キャベツ

豚キャベツ

煮こむのでかさが減り、思いのほか野菜が食べられます。

材料

キャベツ……½個(約400g)
豚肉ロース薄切り……200〜300g
にんにく(薄切り)……1片
味噌……大さじ1½
水……カップ2

①キャベツは芯をつけたまま、4つ割りに。

②平らな鍋(土鍋でもよい)にキャベツと豚肉を交互に重ね入れ、分量の水を注ぐ。にんにく、味噌を加えて30〜40分ほど静かに煮る。

●大人にはあとで、豆板醤《トウバンジャン》を加えたり、ねり辛子を添えても。

とりとかぶのスープ煮

とりとかぶのスープ煮

骨つきのとり肉から出る味がおいしさの決め手。かぶは丸ごと煮るとくずれにくいものです。

材料

とり骨つきブツ切り……400〜500g
かぶ……1わ
塩……小さじ1½

①かぶは茎の緑を少し残して葉を落とし、丸のまま皮をむく。

②肉は一度熱湯を通し、かぶを加えてかぶるくらいの水を注ぐ。

③塩を入れて強火にかけ、沸いたら弱めてあくを除く。

④蓋をして1時間弱、肉が骨からはずれる頃火を止める。

手羽先入りおでん

ねり製品を入れずに、味の出る材料で煮上げるもの。翌日はなおおいしい。

材料

- 大根（3cm厚さの半月切り）……200g
- 昆布（結び昆布にする）……5枚
- にんじん（1cm厚さの輪切り）……100g
- こんにゃく……1/2枚
- 塩……少々
- 里芋……200g
- 油揚げ……2枚
- うずらの卵……8個
- 手羽先……8本
- サラダ油……大さじ2
- 醤油大さじ2　塩小さじ1

①こんにゃくは厚さを半分にして三角に切り、塩でもんで下茹で。

②皮をむいた里芋は乾いた布巾で拭いておく。

③油揚げは半分に切り、袋にして熱湯を通す。茶碗に立てるように置き、うずらの卵を2個ずつ割り入れて、楊枝で口を止める。

④手羽先を金ざるに広げて熱湯をかけまわす。フライパンにサラダ油を熱し、おいしそうな焦げ色がつくまで焼く。

⑤鍋に肉、水4カップ、結び昆布、大根、にんじん、こんにゃくを入れ、煮立ったら調味料を入れて火を弱め、15〜20分煮る。

⑥里芋、油揚げの袋を入れ、途中であくをすくいながら約40分間、野菜が柔らかくなるまで弱火で煮含める。

手羽先入りおでん

とりのから揚げカレー味

とりのから揚げバリエーション

基本のから揚げ

から揚げを塩味だけでつくっておくとその後の変化が自由自在。コチコチにせずおいしく揚げるには低温の油に入れて中まで火を通し、仕上げは強火でカラリとさせることです。

材料

- とりもも肉……300g
- 酒……大さじ1
- 塩、ごま油……各小さじ1/2
- 片栗粉　揚げ油

①とり肉はひと口大に切り下味をつけて、30分ほどおき水けをとる。

②片栗粉をまぶし、余分をはたき落としてから、低温の油に入れる。

③途中で返しながら、ゆっくりと火を通し、最後は強火で仕上げる。

オレンジ煮

みかんの香りでから揚げがさわやかに。甘夏柑のしぼり汁大さじ3杯に砂糖大さじ1杯、ケチャップ大さじ1杯を加えて煮立て、基本のから揚げを入れてからませる。

中国風に

にんにくと生姜を香りよく炒め、そこにかために茹でたカリフラワー、にんじん、もどした干し椎茸を加えて炒め合わせ、基本のから揚げを入れる。スープと塩、砂糖少々で調味し、水どき片栗粉でまとめる。

てんつゆで

基本のから揚げにてんつゆ（だし4、醤油1、みりん1の割合）と大根おろしを添えて。

カレー味

基本の下味にカレー粉小さじ1杯と、砂糖小さじ1/2杯を加える。そのまま粉をまぶして揚げてもよいが、卵1/2個、小麦粉大さじ1杯、片栗粉大さじ1杯の衣をつけて揚げるのもおいしい。

ハム・ソーセージにかわるもの

とり肉・豚肉をどれもかたまりのまま火を通し、ハム、ソーセージにかわるものとしてストックしておきましょう。できたてはそのままスライスして主菜に、残りは切り方をかえて、野菜と自由に組み合わせてください。手早く栄養のバランスがととのいますし、わが家の味で朝食のひと皿もつくることができます。また、市販の加工食品に含まれる添加物の心配がありませんから、安心して子どもに与えられます。

蒸しどり

材料

とりむね肉(またはもも)……1枚
長ねぎ(ブツ切り)……10cm
生姜薄切り……2~3枚
塩……小さじ1/3

とり肉に塩をまぶして器にのせ、長ねぎと生姜をのせて湯気の上がった蒸し器に入れる。むね肉なら10分、もも肉では15分が目安。蒸し汁ごと冷ます。
●そのまま切ったり、さいて使う。
●電子レンジ(600W)を使うなら、肉200gに4~5分が目安。

茹で豚

塩をして1~3日おいた豚肉でつくる茹で豚。おいしさの秘訣はとろ火でゆっくり煮ること。くれぐれも煮立てないように——。

材料

豚ロース肉(または肩ロース)かたまり400g
塩……小さじ2
長ねぎ……約10cm
生姜……1片
たれ
　醤油……大さじ2~3
　酢……大さじ1
　ごま油……小さじ1
　砂糖……大さじ1/2
大根、にんじんすりおろし……各少々
●大人にはおろし生姜小さじ1/2、おろしにんにく小さじ1を加える。

①肉に塩をまぶし、ポリ袋に入れてぴっちり包み、冷蔵庫で1~3日おく。
②一度湯がいた肉を、ねぎ、生姜の薄切りを入れた湯で30~40分、

蒸しどり　茹で豚　醤油豚を使って

朝のひと皿に

●ひと塩大根、にんじんのドレッシング漬け(111頁)に添えて。
●レタス、きゅうり、トマトのサラダに。
●茹で豚や醤油豚を使って青菜、じゃが芋とソテーに。
●ざく切りキャベツにちぎりバター、塩少々をふってレンジで加熱しその上にさきどりをのせて。

ソースを生かして

●マヨネーズ和え
さきどりとひと塩大根と。
●ヨーグルトマヨネーズ(1対1)
せん切りにんじん、さやいんげんをさっと湯通しし、さきどりを和える。
●オーロラソース(マヨネーズ4、ケチャップ1)
蒸しどり、茹でじゃが芋、茹で卵にかけて。
●ピーナツソース〈ピーナツバター(無糖)1、マヨネーズ1、醤油1/2、砂糖少々〉
蒸しどりまたは茹で豚に、トマト、茹で野菜(ブロッコリー、チンゲン菜、キャベツ、もやしなど)を合わせてピーナツソースをかける。
●梅肉マヨネーズ(ペースト状にした梅肉とマヨネーズをまぜる)
さきどりまたは茹で豚のせん切りと、斜めにせん切りにし薄塩してしぼったきゅうりを和える。
●豆腐ソース
豆腐(湯通ししてしぼる)1/4丁　塩小さじ1/3　醤油小さじ1　酢、サラダ油、マヨネーズ各大さじ1
薄切りにした蒸しどり、茹で豚に茹でにんじんやわかめ、きゅうり、トマトを合わせてソースをかける。

マカロニサラダ

マカロニサラダ　マカロニ、さきどり、茹でにんじん、塩もみきゅうり、りんご、コーンなどをマヨネーズで和える。マカロニをじゃが芋にすればポテトサラダに。
中華サラダ　ひじきのマリネ(113頁)や、わかめの上に、きゅうりの

静かに蓋をせずに茹でる。煮立つまでは強火、その後火を弱め（鍋の底からときどき気泡が上がる程度）にする。

③火を止めて粗熱がとれるまでそのままおく。

●できたては、スライスしてたれをかけて。とろけるような柔らかさで食べられる。

豚とキャベツの味噌炒め

回鍋肉《ホイグオロウ》といわれる料理の簡単版。ざく切りのキャベツ、ピーマンを炒め、5㎜厚さの茹で豚を加えて合わせ味噌（味噌4、砂糖、醤油各1の割合にごま油少々を加えて）をからませる。

茹で豚と野菜のソテー

茹で豚を使ったソテーは生からのものとはひと味違います。ターツァイ、もやし、にんじんに、茹で豚の細切りを加えて炒め、塩、こしょうする。オイスターソースで風味をつけてもよい。

煮　豚

煮汁がたっぷり残るので、かけ汁に使ったり、ごぼう、里芋、じゃが芋、茹で卵を煮るなど上手に使いましょう。

材料

豚ロース肉（または肩ロース）……かたまり500g
醤油……カップ½
砂糖……カップ¼
酒……大さじ3
長ねぎ、生姜……各適宜

①肉はさっと湯通しする。

②鍋に肉と調味料、長ねぎ、生姜を加えてからひたひたの水を注いで火にかけ、沸き上がったら弱火にし、蓋を半がけにして小1時間煮る。

煮豚

豚もも肉の醤油煮

もも肉と醤油だけのシンプル料理。味がよく、しかも保存がきくので重宝。煮汁もくり返し使えます。

①もも肉500gはかたまりのままちょうど入るくらいの鍋に入れ、ひたひたまで醤油（約2～3カップ）を注ぐ。

②火にかけ、煮立ってきたら蓋をし、ごく弱火で25～30分途中返しながら肉に火が通るまで煮る。

③火を止め、粗熱がとれたらとり出す（2度めからは、たりない分の醤油を補い、蓋をせずに水分を蒸発させて煮、冷めるまでそのままおく）。

●煮汁はそのつどびんに移し、冷蔵庫で保存。野菜の炒めもの、煮ものにもよい調味料となる。

●好みで、生姜、にんにくを入れて煮てもよい。保存の際にはとり除く。

●中華ちまき、チャーハン、炊きこみごはん、中華サラダ、もやしとキャベツの蒸し（茹で）サラダ、中華スープにと幅広く利用できる。

豚とキャベツの味噌炒め

豚もも肉の醤油煮

せん切り、ささどり、錦糸卵、いりごまを重ねて中華ドレッシングをかける。

バンバンチー　きゅうり、セロリ、にんじんのせん切りとささどりをごまソースで。

材料

ソース
すりごま……大さじ3
酢、茹で汁（水）…各大さじ1
醤油、砂糖、ごま油各小さじ1
塩……小さじ½
●大人には豆板醤《トウバンジャン》を加えても。

めん類の具に

・タンメン、リャンパンメン、チャーシューメン、焼きそばに。

・うどん、そうめん（120頁）、の具として。

パンにはさむ

・ささどりとセロリ、きゅうりのせん切りをマヨネーズで和えて。

・煮豚、醤油豚はごく薄くスライスし、せん切りキャベツとにんじんのソテー、レタスとピクルス（111頁）、などと組み合わせて。

魚料理

お母さんと一緒に買いものにきた小さな子どもが、「これはなあに?」と店頭に並ぶ魚たちを次々と指さして、興味深げにたずねていました。海に囲まれた国に住む私たちの健康を保ってきた魚料理を、文化と共に今後も受け継いでいきたいものです。

魚は、味はもちろん、栄養、経済の点からも、旬の新鮮なものを求めるに限ります。近頃では生ぐさく、腹わたを出したり、おろしたりの調理が面倒と、切り身魚を利用する人が多いようですが、旬の脂がのって、身のしまった一尾づけの塩焼きも、ぜひとり入れてください。湯気の立ったあつあつを、子どもの目の前でお父さん、お母さんがほぐせば、おいしさも伝わり、親しめるでしょう。また、大人が食べるのを見ていると、自分の箸で食べたがるようにもなるものです。

調理法は少ないけれど、種類の多さでは肉とは比べものにならない魚は、味わいもそれぞれ異なります。レパートリーが少なくても、魚の種類で変化をつけると、毎日の食卓も豊かになるでしょう。

栄養メモ

魚類は一般に海産魚、淡水魚、そして軟骨魚に分類されます。海産魚はさらにカツオ、マグロのように魚肉が赤色をしている赤身の魚、タイ、タラのように底棲魚で魚肉が白色の白身の魚、そして赤身か白身かが明確に区分できない魚（アジ、ブリ、サケなど）を便宜上、中間魚として分類しています。淡水魚は渓流に生息するアユ、下流や沼池に生息するウナギ、コイ、フナ、ドジョウなどが代表的です（軟骨魚としてはサメが代表的です）。その他、魚を利用する立場から考えた場合にイカ、タコ、エビ、カニなど無脊椎動物も魚に入れています。

魚類の特徴は種類が豊富であること、そして季節性が顕著なこと、すなわち旬があることです（中には旬のない魚もあります）。旬は魚の脂がのっている時期であり、とてもおいしいものです。栄養成分は水分が70～80％と多いため、組織が柔らかくなっています。良質のたんぱく質が15～20％前後含まれます。脂肪は年齢や栄養状態、産卵などにより著しく異なります。

貝類は貝柱を除き、可食部は水分が多く、次いでたんぱく質、脂肪が含まれます。二枚貝（アサリ、ハマグリ、カキなど）では、貝殻以外は内臓も含め、全て食べられることが特徴です。

（岡崎光子）

魚介類の旬は…

春

イボダイ、カワハギ、サヨリ、トビウオ、マナガツオ、ブリ、ニシン、メバル、イワナ、サザエ、ウグイ、イワシ

夏

アジ、オコゼ、コチ、マグロ、アユ、ヤマメ、イワナ、トビウオ、イサキ、キス、イワシ、ハモ、マス、ウナギ、サザエ、サヨリ

秋

カマス、サケ、ヒラメ、ウグイ、アサリ、ハマグリ、ウナギ、イワシ、サバ、サンマ、ブリ、ワカサギ、カキ、ハモ

冬

コノシロ、シラウオ、マナガツオ、アカガイ、アマダイ、ブリ、ワカサギ、カキ、イトヨリ、サワラ、タラ、ムツ、ヒラメ、サケ、ウグイ、アサリ、ハマグリ

魚を買ってきたら…

扱い方のポイント

魚を、血や汚れをつけたままにしておくことは、早く鮮度を落とし、生ぐさみを出す原因に。一尾ものを買ってきたらそのままにせず、腹わたはできるだけ早くとり除きます。アジ、イワシ、サンマ、サバなどの青魚は、鮮度の落ちやすい魚ですから、ことに気をつけましょう。その後、用途に応じて三枚におろす、塩をふるなどの下処理をしておきます。

もしその日に使わないときは、すのこのついている容器などに入れて蓋をし、冷蔵庫の一番冷えている場所で保存するとよいでしょう。

魚を調理したあとのまな板は、においが気になるもの。塩をふり、たわしでこすって水で洗い流したあと、熱湯をかけて消毒し、充分に乾かします。先に湯をかけてしまうと、魚くささがしみついてしまいます。魚肉と野菜の目印をまな板の表裏につけ、使いわけてもいいですね。

焼く

和風には塩焼き、照焼き、洋風にはムニエルが焼く料理の基本。旬の材料を使い身近な一品にしたいものです。手をかけない料理だけに魚の鮮度と、焼き加減が味の決めてになります。まず生きのよいものを選び、かたくならないように上手に焼き上げましょう。

アジの塩焼き

〝塩焼き〟は焼き魚の中でも最もシンプルな食べ方です。イワシやニジマス、秋にはサンマなどでどうぞ。

おろし方

①ぜいごを尾の方から包丁でそぎとる。
②手でえらぶたを左右から開き、あごのつけねを切らないように注意しながら、ていねいにえらだけをぬき出す。
③頭が左側になるように盛りつけるので、裏になる方の腹を包丁の先で切ってわたを出す。
④流し水で中骨にそってついている血を洗い、ざるに上げておく。

塩をふる

味だけでなく魚の水分をとり、ほどよく身をしめるために――。
①魚をざるに並べ、魚の重さの1.5%、100gの魚に小匙1/3杯見当の塩を両面にふる。ざるがないときにはペーパータオルを敷いておく。
②冷蔵庫で約30分くらいおく。

焼く

①あらかじめ網に酢をぬってよく焼いておく(こげつきにくくなる)。
②魚は、盛りつけたときの裏側になる方から七分《ぶ》、返して三分のつもりで遠火の強火で焼く。
●弱火でも時間をかけすぎるとかたくなるので注意し、両面一度ずつ焼く。
●サンマやアユなどの内臓のにがみを好む人には、腸ぬきをせず、そのまま二つに切って(アユは姿のまま)塩焼きにしたものが喜ばれます。ひと手間省けて簡単ですが、これはごく新鮮なものに限ります。腹の破れているようなものは適しません。

イワシのかば焼き

イワシのかば焼き

安価でボリュームのでるかば焼き、上手につくってごちそう料理に。

材料

イワシ……4～5尾(正味200g)
(サンマでも)
小麦粉……適宜
サラダ油……適宜
たれ
醤油……大さじ1
みりん……大さじ2
(または砂糖、酒各大さじ1)

①イワシは開いて(下段参照)水けを拭き、薄く粉をつける。
②フライパンに油を熱し、身の方を下にして並べ入れ、香ばしい焼き色がついたら返して中まで火を通し、紙にとって油をきる。
③フライパンをきれいにし、調味料を入れて火にかけて煮たたせたところにイワシの皮目を下にして戻し、返してたれをまぶしつけて仕上げる。
●つけ合わせには長ねぎの斜め切りを炒め、醤油少々をふったものを。
●大人には粉山椒をふるとよい。
●開いて焼くところまでしたものを冷凍しておくと、かば焼き丼も手軽にできます。

イワシの中国風

イワシを開いて焼くまではかば焼きと同じ。
玉ねぎ、にんじん、椎茸、ピーマンを炒め、甘酢あんに仕立ててからませる。

イワシの手開き

①うろこをとって頭をおとし、腹を斜めに切って腹わたをきれいにかき出す(新聞紙の上ですると後始末がらく)。
②流し水で洗い、さらに塩水で洗う。
③腹の切れ目に両方の親指を入れ、中骨の上を尾に向かってしごくようにして開く。
④骨の中ほどをもち上げ、骨の下に親指を入れ、左右に骨にそってしごく。
⑤中骨を尾のつけ根のところで折る。
⑥腹ビレ、小骨はとる。

生サケのムニエル

生サケのムニエル

材料

- 生サケ……3切れ
- 塩、こしょう、小麦粉
- サラダ油……大さじ1½
- ブロッコリー……½株
- トマト……1個
- 塩……少々
- タルタルソース
  - 卵(かた茹でに)……小1個
  - ピーマン……½個
  - マヨネーズ……大さじ3
  - 水(大人用に白ワイン)

①生サケは、かるく塩、こしょうをして薄く粉をつける。

②サラダ油を熱したフライパンに魚の表を下にして並べ、返して裏も焼き、弱火にし中まで火を通す。

③タルタルソースをつくる。茹で卵は白みと黄みに分け、各々みじん切りに。ピーマンはみじん切りにして、さっと茹で、マヨネーズで茹で卵と和える。⅓量は子ども用に水大さじ1杯、残りは白ワイン大さじ2杯を加えてのばす。

④ブロッコリーは小房に分けて茹でる。トマトは湯むきして、1cm厚さの半月切りにし、塩少々をふって両面を焼きつける。

⑤皿に盛り、ソースをかける。

●子ども用はそぎ切りに。

タラのムニエル野菜あん

1cm角の椎茸、にんじん、玉ねぎ、ピーマンを炒め、スープをひたひたに加えて柔らかく煮る。茹でたうずら卵を加えて砂糖、醤油、塩少々で調味。水どき片栗粉でとろみをつけ、サケと同様に、ムニエルにしたタラにかける。

蒸す

蒸し料理は柔らかに仕上がるので幼児向きです。煮すぎ、焼きすぎの心配もありません。充分湯気が上がってから蒸し器に入れるのがコツ。

白身魚のパン粉蒸し

材料

- サワラ(サケ、タラなど)3切れ
- 塩、こしょう
- 小麦粉、卵
  - パン粉……カップ½
  - 粉チーズ……大さじ6
  - パセリ(みじん切り)……大さじ5
- つけ合わせ
- にんじんグラッセ/いんげんの塩茹で/レモンのくし切り

①魚を食べやすい大きさに、そぎ切りにして、塩、こしょうする。

②粉、とき卵、パン粉(チーズとパセリを合わせる)をつけて器に並べ、湯気の上がった蒸し器で、約10分蒸す。つけ合わせを添える。

白身魚のパン粉蒸し

ちり蒸しうす葛あんかけ

材料

- 生タラ……3切れ
  (ヒラメ、カレイ、サワラでも)
- 塩……小さじ1
- 酒……大さじ1
- 長ねぎ(斜め切り)……8枚
- 豆腐(3cm角切り)……½丁
- 生椎茸(石づきをとる)……4枚
- 塩蔵わかめ(洗って刻む)……20g

ちり蒸しうす葛あんかけ

①切り身をひと口大に切り、塩と酒をふりかけておく。

②器に長ねぎをおいて魚をのせ、豆腐、4つ割りにした椎茸、わかめを入れる。

③湯気の上がった蒸し器に入れ、中火で10分火を通す。葛あんをかける。

●大人はおろしわさびを天盛りに。

葛あん

材料

- だし……250cc
- 塩……小さじ⅓
- 醤油……小さじ½
  - 片栗粉……小さじ2
  - 水……大さじ2

小鍋にあんの材料を煮立て、水どき片栗粉でとろみをつける。

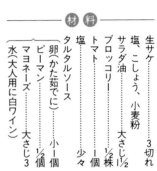

煮る

魚の煮ものは思いのほか簡単。味つけも甘辛味、味噌味、スープ味とさまざまです。火加減のよしあしがおいしさの決めて。ようすをよく見てつくり慣れましょう。

サバの味噌煮

カレイの煮つけ

白身魚のスープ煮

サバの味噌煮

材料

- サバ……小1尾
- 焼き豆腐(奴《やっこ》切り)……1/2丁
- 長ねぎ(斜め切り)……小1本
- 生姜(薄切り)……小1片
- 合わせ味噌
  - 赤味噌……大さじ3 1/2
  - 砂糖……大さじ2
  - みりん、酒……各大さじ1
  - 水……カップ1

●サバが一番おいしいが、イワシやアジでも。

①サバは頭をおとして、1.5cm厚さくらいの筒切りにしてわたをぬき、塩水で洗って水けをきる。

②平鍋に3/4量の合わせ味噌と生姜を入れて火にかけ、あたたまったら、サバの切り口を上にして並べ、落とし蓋をして弱火で10～15分煮る。

③ねぎと豆腐を加えて5～6分煮、残りの味噌を入れ、煮汁をかけながらさらに3～4分煮る。

●子どもには骨をとり、身をほぐして。サバはいたみやすい魚なので、鮮度にはことに気をつける。

カレイの煮つけ

子もちの場合は、魚を入れてから火にかけると卵がくずれません。

材料

- カレイ(切り身)……3切れ
- かぶ……2個
- 水……カップ1 1/2
- 醤油……大さじ3
- みりん、砂糖、酒　各大さじ1

①鍋に水と調味料を合わせて、魚を並べ入れ、弱火にかけて20分ほど煮る。煮汁をすくいかけながら、さらに15分ほど煮る（落とし蓋、きせ蓋はしない）。

②かぶは茎を残して葉を落とし、皮をむいて4つ割りにし茹でる。葉も一緒に茹でて3cm長さに切る。

③盛りつけて汁をかけ、かぶを添える。子ども用は骨をとり、身を大きくほぐして盛る。

白身魚のスープ煮

材料

- サワラ(ヒラメ、カレイなど)……3切れ
- 塩……小さじ1/2
- 玉ねぎ……大1個
- しめじ(またはえのき、生椎茸)……100g
- にんじん(短冊切り)……100g
- 水……カップ1/2
- スープの素……1個

①魚は食べやすい大きさに切って、塩をふっておく。

②玉ねぎは4つ割りにして、横に

薄切りにする。
③しめじは、小房に分ける。
④底の広い鍋に玉ねぎ、にんじん、しめじを敷き、その上に魚をのせ、ひたひたのスープを入れる。
⑤約10分蒸し煮にし、スープごと盛りつける。

アサリのチャウダー

アサリのチャウダー

材料

アサリのむき身……………150g
白ワイン……………大さじ1
玉ねぎ(薄切り)……………½個
サラダ油、バター…各大さじ1
小麦粉……………大さじ1
牛乳……………カップ2
塩……………小さじ⅓
パセリ(みじん切り)………少々

①アサリをざるにのせて塩水でふり洗いしてから、小鍋に入れ、水½カップ、白ワインをふり、蓋をしてひと煮立ちさせる。
②別鍋にサラダ油をひき、玉ねぎをすき通るまで炒めてからバターを加えて粉をふり入れ、焦げないように炒めて牛乳を注ぐ。
③2～3分煮つめて塩をふり、アサリを汁ごと加えてひと煮立ちさせる。刻みパセリを散らす。

和風ポトフ

和風ポトフ

魚に野菜、豆腐も入り栄養満点。

材料

甘塩サケ(ひと口大に切る)……………3切れ
大根(乱切り)……………300g
にんじん(小さめの乱切り)……100g
昆布(結び昆布に)3×10cm長さ4本
水……………約カップ5
じゃが芋(2つ割り)……………3個
豆腐(奴切り)……………1丁
醤油……………少々

①鍋にサケ、大根、にんじん、昆布を入れ、かぶるくらいの水を注ぎ、約30分煮る。
②大根が柔らかくなったら、じゃが芋を入れ、さらに柔らかくなるまで煮る。
③豆腐を入れる。
④サケから出た塩味を確かめて、醤油少々で味をととのえる。

ホタテ貝のトマト煮

ホタテ貝のトマト煮

淡白な貝柱を使って、手早く仕上がる夕食のおかず。

①サラダ油で、玉ねぎをしんなりするまで炒め、寄せておく。
②ホタテ貝に、塩、こしょうし、粉を薄くまぶす。

材料

ホタテ貝柱……………約10個
玉ねぎ(みじん切り)……………¼個
サラダ油……………大さじ1
トマト(皮をむいて粗みじん)……………1個
パセリ(みじん切り)…大さじ1
バター……………大さじ2
塩、こしょう
小麦粉
水またはスープ………大さじ2

③①のフライパンにバターを加えホタテ貝を入れて両面にほんのり焦げめをつける。
④トマトを入れて全体をまぜ、水を加えて蓋をし、かるく蒸し煮にする。ソースの塩味を確かめ、パセリをふって食卓へ。
●冷凍の貝柱なら、④の水分は加えなくてよい。

揚げる

揚げるとあっさりした魚にはこくが増し、青魚はくせが和らいで食べやすくなります。から揚げ、たつた揚げは油に魚の臭いが残るので、何回か使った油で。

かき揚げ

かき揚げ

材料

むきエビ(背わたをとる)……100g
そら豆(茹でて甘皮をむく)……150g
(グリンピース、さやいんげん)
玉ねぎ(1cm角切り)……½個
衣{卵(小1個)と水でカップ⅔ / 小麦粉カップ¾}
揚げ油　てんつゆ

①エビはブツ切りにして薄く小麦粉(分量外)をまぶす。

②分量の濃いめの衣に、エビ、そら豆、玉ねぎを加えてまぜる。

③油を180℃に熱し、油でしめらせた木しゃもじの上に、たねを大さじ2〜3杯分のせ、しゃもじの先からすべらせて油に落とす。返さずに玉じゃくしで油をすくいかけながら、カラリと揚げる。

タラのラビゴットソース

タラのラビゴットソース

材料

甘塩タラ……3切れ
オレンジの果汁……½個分
小麦粉、揚げ油
{玉ねぎ(みじん切り)……¼個
きゅうり(みじん切り)……½本
トマト(湯むきみじん切り)……½個
オレンジ……小½個
サラダ油……大さじ2
塩……小さじ¼}

①タラはひと口大のそぎ切りにし、オレンジの果汁につけて、10〜15分塩ぬきと共に風味づけする。

②ラビゴットソースをつくる。オレンジ½個は、実をほぐして刻む。油とオレンジのしぼり汁1個分、塩を合わせ、野菜とオレンジを加えて、ひとまぜする。

③タラは汁けをふき、粉をまぶして、高温で揚げる。

④盛りつけてソースをかける。

●キンメダイ、むきカレイ、オヒョウなどの白身魚でもよい。

サバのたつた揚げ

サバのたつた揚げ

材料

サバ(3枚おろし)……大½尾
下味{生姜汁……小さじ1 / 醤油……大さじ1}
片栗粉
さつま芋(短冊切り)……100g
揚げ油

①サバは厚みに1本切り目を入れながら、3〜4cm幅のそぎ切りにする。下味につけて10分以上おく。

②170℃に熱した揚げ油に、芋を入れて、素揚げする。

③サバの汁けをふき、片栗粉をまぶしつけ、余分な粉を払い、180℃の油で、色よく揚げる。

●さつま芋と青みを添える。

●3枚おろしのイワシでもよく、カレイなら1尾のまま揚げて、子どもには骨をはずす。

イワシのフライ

イワシのフライ

材料

イワシ(アジでも)……6尾
じゃが芋(ひと口大切り)……2個
衣〈小麦粉/とき卵/パン粉〉
プチトマト……8個

①イワシは3枚におろし、塩水で洗い、水けをきる。

②イワシの水けをふき、じゃが芋は塩茹でしてから、衣をつけて、揚げる。プチトマトを添える。

●大人用にはイワシにとき辛子をぬってから揚げてもよい。

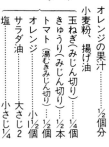

保存のきくもの

忙しい日、外出日のために魚を使ったおかずのつくりおきもおためしください。焼いたり、煮たり、揚げたりして、数日、冷蔵庫で日もちするものです。

魚のそぼろ

保存は約1週間

—材料—

焼き魚(アジ、生タラ、生サケなどを素焼きに)……正味200g
醤油、水……各大さじ2
砂糖……小さじ2

①頭と骨、皮などを除いて身をほぐす。乾いた布巾に包み、よくもんで、さらに細かくほぐす。このとき小骨が残っていれば、布巾から突き出てくるのでとり除く。
②厚手の鍋に、魚と水、調味料を加えて弱火にかけ、さらさらになるまでゆっくりと炒りつける。
●タラとサケは、醤油を塩にかえ、小さじ1杯強を目安に加える。

魚のそぼろ

生サケのエスカベーシュ

冷蔵庫で3～4日保存できます。

①サケは食べやすい大きさのそぎ切りにして塩、こしょうする。

生サケのエスカベーシュ

—材料—

生サケ(皮を除く)……3切れ
塩、こしょう、小麦粉、揚げ油
玉ねぎ(薄切り)……1個
セロリ(せん切り)……½本
にんじん(せん切り)……50g
サラダ油……大さじ2
合わせ調味料
　酢……大さじ2
　サラダ油……大さじ4
　塩……小さじ⅕
　砂糖……小さじ1
パセリ(みじん切り)……少々

②粉をまぶして中温の油で揚げる。
③油を熱し、野菜をかるく炒めてしんなりとさせる。
④魚と野菜を合わせ調味料につける。パセリをふって食卓へ。
●レタス、きゅうり、トマトなど生野菜と盛りつけてもよい。

アジの南蛮漬け

保存は冷蔵庫で4～5日が目安。

—材料—

小アジ(ワカサギでも)……300g
にんじん(せん切り)……5cm
長ねぎ(せん切り)……20cm
生姜(せん切り)……少々
酒、みりん……各大さじ1
酢……大さじ5
醤油……大さじ3
水……大さじ2～4

①調味料を合わせて煮立て、野菜と一緒にバットにつけておく。
②アジは、ぜいご、わた、えらをとり、片栗粉(分量外)をまぶしつける。180℃の油でじっくり骨まで火を通すつもりでカラリと揚げる。
③魚が熱いうちにバットに移し、ときどき返して味をなじませる。

味噌漬け

切り身魚を使って手軽にできる味噌漬け。味噌の量は最小限にし、そのつど使いきります。

—材料—

切り身魚……3切れ
(サワラ、生タラ、生サケなど)
Ⓐ赤味噌……大さじ3
　みりん、酒、水…各大さじ1

Ⓐを合わせて魚にまんべんなくつけ、ラップに包んで冷蔵庫へ。半日後から食べられ、2～3日はもつ。おべんとう用に冷凍しておくのもよい。
魚は水けを拭いてから網焼き、またはソテーする。焦げないように注意。
●レンジにかけて柔らかくした酒かすと味噌を、4対6くらいの割合でまぜ合わせた「かす味噌漬け」も美味。酒かすは直接食べるわけではないので、子どもにもよい。
●魚は塩けの少ないものを。

豆・豆製品の料理

「1日に1回、豆・豆製品を食べていますか？」と聞かれると、まず頭に浮かぶのは煮豆。「時間もかかるし、ストックもないので、ほとんどつくらない」という家庭は多いようです。でも、煮豆ばかりが豆・豆製品ではありません。豆腐はもちろん納豆、厚揚げ、油揚げ、がんもどき、味噌、枝豆、ピーナツも含むと聞けば、「あ、それなら毎日どれかは食べているわ」という答えになるでしょう。とりにくい、とりにくいと、気を重くせず、経済的で、植物性たんぱく質の代表選手の豆腐を、常食するような気軽な気持ちで、献立に加えればよいのです。

ただ、豆のかたちそのままの煮豆類を食べることも大切。これはどうしても柔らかくするのに時間が必要です。ゆとりのある日にたくさんつくって冷凍し、そのつどサラダ、スープ、シチュー、肉や海藻などとの煮もの、甘煮などにすると、いっそうバラエティーに富んだ食事をととのえることができます。

ピーナツも栄養的には大変よいものですが、丸のままではのどにつまらせる危険が大きいので、無糖のピーナツバターでとりましょう。

栄養メモ

豆類には大豆のように、脂肪を多く含みますが、炭水化物の少ないグループ、そして小豆、そら豆、いんげん豆、えんどう豆のように、主要成分は炭水化物ですが、たんぱく質も多く含み、脂肪の少ないグループがあります。無機質は一般にカリウムやリンは多いのですが、カルシウムは少ないものが多いのです。ビタミン類もわずか含まれますが、ビタミンB群が主であり、ビタミンCはほとんど含まれません。豆類の繊維は硬く、消化が悪いので、食べるときには必ず加熱しましょう。

大豆　たんぱく質や脂肪そして炭水化物が主要成分です。栄養価の高いものですが、組織が硬いので消化率は低くなっています。しかし加熱により消化率は変わり、煮豆70%、味噌、納豆80%、豆腐95%以上です。豆腐は消化もよく、食べやすいこともあり、子どもには必須の食品です。大豆製品としてはこのほかにきな粉、油揚げ、ゆば、がんもどき、おからなどがあります。

小豆　腸を刺激する作用をもつ物質(サポニン)を含みますので、便秘の予防に役立ちます。

えんどう豆　カリウムやリンも多いのですが、マグネシウムも含まれます。ビタミンB_1は大豆に次いで多く含まれます。未熟なものはさやえんどうやグリンピースであり、野菜として用います。

(岡崎光子)

豆腐をたっぷり使って

冷たくしても、温かくしても口当たりがよく、栄養価の高い豆腐は便利な素材です。

煮る、炒める、揚げるなどの料理には〝水きり〟して使います。水きりにはいろいろな方法がありますが目の細かいざるにのせて冷蔵庫に半日ほどおくのが簡単です。急ぐときには電子レンジで加熱します。

五目マーボー豆腐

辛さをおさえ五目の旨味でどうぞ。

材料

- 絹ごし豆腐(水きりする)……1丁(400g)
- 豚ひき肉……80g
- サラダ油……小さじ2
- ごま油……小さじ1
- 長ねぎ(みじん切り)……10cm
- 生姜、にんにく(みじん)…各少々
- きくらげ(もどしてみじん切り)……5枚
- にんじん(みじん切り)……4cm
- 絹さや(茹でて細切り)……3〜4枚
- 合わせ調味料〈水カップ⅔　醤油大さじ3　豆板醤少々　砂糖大さじ½　酒大さじ1〉
- 片栗粉……大さじ1

①豆腐はさいの目切りに。

②長ねぎ、生姜、にんにくはサラダ油、ごま油で炒め、ひき肉を加えてポロポロにし、さらににんじん、きくらげを入れて炒める。

③合わせ調味料を加えて2〜3分煮、豆腐を入れてくずさないように炒め合わせ、片栗粉の水どきでとろみをつける。

④絹さやをさっとまぜて食卓へ。

五目マーボー豆腐

豆腐とつみれの鍋

手づくりのつみれのおいしさに豆腐と根菜をたっぷり加えた鍋もの。

材料

- 絹ごし豆腐(奴《やっこ》切り)……1丁
- イワシ(3枚におろす)　6尾(500g)
- Ⓐ
  - パン粉……カップ½
  - 卵……1個
  - 赤味噌……大さじ½
  - 片栗粉、小麦粉…各小さじ2
- 大根(3cm長さの短冊切り)……200g
- にんじん(3cm長さの短冊)…50g
- ごぼう(ささがきにして茹でておく)……100g
- だし……カップ3
- 味噌……大さじ2½
- 酒……小さじ2

①イワシは皮をひいて粗く刻み、Ⓐと一緒にフードプロセッサーにかけ、すり身をつくる(フードプロセッサーを使わずにすり鉢を使うなら、すってからⒶを加える)。

②すり身を小さめに丸めて中央をへこませ、熱湯に入れて浮き上がってくるまで茹でてつみれをつくる。

③だしで野菜を柔らかくなるまで煮、味噌と酒で調味し、豆腐とつみれを加えて2〜3分煮る。

④茹でてざく切りにした大根の葉を加えてひと煮立ちさせる。

豆腐とつみれの鍋

炒り豆腐

材料

- もめん豆腐(茹でて水けをきる)……1丁(400g)
- むきエビ(背わたをとる)……100g
- 卵……1個
- ミックスベジタブル(冷凍)……カップ½
- 醤油……大さじ2½
- 砂糖、みりん、酒…各大さじ1
- サラダ油……大さじ1

ミックスベジタブルをから炒りして解凍、油を加え、ブツ切りにしたエビ、豆腐の順で炒める。豆腐がほぐれたら調味料を加えて2〜3分煮、とき卵を加えて手早くまぜ火を止める。

炒り豆腐

豆腐をたっぷり使って

豆腐とささみの旨煮

豆腐とささみの旨煮

材料

絹ごし豆腐……1丁
ささみ……3本
しめじ(小房に分ける)……100g
ブロッコリー(小房に分け茹でておく)……100g
スープ(スープの素1個)……カップ1½
醤油、みりん……各小さじ1
酒……大さじ1
サラダ油……大さじ1
片栗粉……小さじ2

①ささみはすじをとり、両面に斜め格子に包丁を入れ、そぎ切りに。
②スープと調味料を合わせてひと煮立ちさせる。
③中華鍋に油を熱し、ささみ、しめじの順で炒めてからスープを加え2〜3分煮る。
④片栗粉の水どきでとろみをつけ、ブロッコリーとひと口大のそぎ切りにした豆腐を入れて静かにまぜ、2〜3分煮る。

豆腐ステーキ

豆腐ステーキ

材料

もめん豆腐……1丁
ほうれん草……½わ
サラダ油、バター……各小さじ1
にんじん……1本
砂糖……小さじ1
塩、サラダ油、小麦粉、醤油

①豆腐は厚みを半分に切り、かるく押しをして水をきり、塩をふる。
②ほうれん草は茹で、サラダ油とバターで炒め、塩をふる。
③にんじんは、7〜8㎜厚さの輪切りにし、水をひたひたに加えて柔らかく煮、砂糖と塩少々で調味してつやよく煮上げる。
④フライパンに油を熱し、好みの形に切った豆腐に粉をまぶして両面を焼きつけてから火を弱めて中まで火を通す。醤油少々で味つけし、②と③を一緒に盛りつける。

ぎせい豆腐

ぎせい豆腐

材料

もめん豆腐……1丁
とりひき肉……50g
卵……2個
にんじん(せん切り)……30g
芽ひじき(乾)……大さじ1
干し椎茸(もどしてせん切り)……2枚
椎茸のもどし汁……大さじ2
醤油……大さじ2
砂糖……小さじ1
いんげん(斜め薄切り)……少々
サラダ油……適宜

①豆腐は水きりしておく。
②鍋に油を熱し、椎茸をよく炒めてひき肉を入れ、色がかわったらにんじん、もどしたひじきと調味料、椎茸のもどし汁を加えて柔らかく煮る。
③フライパンにサラダ油を熱し、豆腐をほぐしながら炒める。
④②の具を加えてまぜ、上からとき卵を流し入れていんげんを散らし、蓋をして弱火でゆっくりと焼き上げ、中まで火を通す。

豆腐サラダ中国風

豆腐サラダ中国風

材料

絹ごし豆腐……1丁
トマト(湯むきしてみじん)……小1個
きゅうり(みじん切り)……1本
ハム(みじん切り)……3枚
かけ汁(酢、醤油、水…各大さじ1½ 砂糖小さじ1 ごま油小さじ½)

豆腐は厚さを半分にしてから2つ切りに。器に盛り、かけ汁をかけて、具をのせる。
●大人には、みじん切りの長ねぎ、ザーサイを。ラー油、豆板醤《トウバンジャン》を加えたかけ汁も。

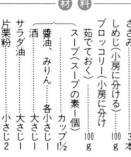

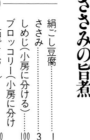

納豆・厚揚げなどを使って

納豆は独特のくせがありますが、栄養価が高く、そのまま食べられる手軽さが魅力です。また92頁のように消化もよいものですから積極的にとる工夫を。

油揚げ、厚揚げ、がんもどきはそれだけでもおいしいものですが、野菜や海藻と煮含めるとこくのある旨味が引き出されます。いずれも一度熱湯をかけ、油ぬきしたものを料理することがおいしさの秘訣です。

納豆汁

大豆製品3種をとり合わせて。

材料

- 納豆……………………1パック
- 絹ごし豆腐(賽《さい》の目切り)…½丁
- 油揚げ(油ぬきする)…………1枚
- だし……………………カップ2½
- 味噌……………………大さじ2½
- あさつき(小口切り)…………少々

①納豆は刻んですり鉢でかるくあたり、油揚げは、縦2つ切りにして細く切る。

②だしに油揚げ、味噌をとき入れ、豆腐、納豆の順に加えて1～2分煮る。あさつきを散らす。

納豆かけごはん

納豆をよくかきまぜ、充分糸を引かせてから醤油少々で味をととのえる。刻みねぎ、いりごま、もみのり、生卵を加えて味に変化をつけるのもおいしいもの。1人分にはうずら卵を使ってもよい。

●「小粒」のもの、「ひきわり」なども食べやすい。

納豆の包み焼き

納豆は粗めに刻み、しらす干し(湯通しする)といりごまをまぜておく。袋にした油揚げに納豆を詰めて平らにし、フライパンで表面をこんがり焼きつけ醤油を落とす。

納豆汁

厚揚げとレバーの炒めもの

味噌でレバーのくせを柔らげ、こっくりとした味のおかずに。

材料

- 厚揚げ(油ぬきする)…………1枚
- 豚レバー(ひと口大に切る)……150g
- Ⓐ生姜汁……………小さじ1
- 　醤油………………大さじ½
- サラダ油……………大さじ1
- にんじん(薄い短冊切り)……4cm
- ピーマン(輪切り)…………1個
- 合わせ調味料
- 　赤味噌大さじ3／砂糖、みりん、酒各小さじ2／水カップ½
- サラダ油……………大さじ1⅓

①レバーは30分以上水につけて血ぬきをし、Ⓐに10分つけたら汁けをきり、油大さじ1でこんがりと焼いておく。

②厚揚げは5㎜厚さのひと口大に、ピーマンはさっと茹でる。

③油大さじ1を熱し、厚揚げを炒め、油小さじ1をたしてにんじん、レバーを加えてひと炒めし、合わせ調味料を入れて3～4分煮る。

④仕上げにピーマンを加えてひと煮立ちさせる。

●味噌と酒だけで調味してもよい。

厚揚げとレバーの炒めもの

がんもどきの含め煮

材料

- がんもどき……………小6個
- じゃが芋(縦4つ割り)……小2個
- にんじん(シャトー切り)……4cm
- 絹さや(すじをとって茹でる)……6枚
- だし……………………カップ3
- 醤油……………………大さじ3
- みりん、酒、砂糖……各大さじ1

①がんもどきは油ぬきする。

②鍋にだしと調味料を合わせ、がんもどきを入れる。落とし蓋をして4～5分煮、じゃが芋、にんじんを加えて柔らかくなるまで煮る。

③器に盛り、絹さやを添え、煮汁をまわしかける。

がんもどきの含め煮

大豆を使って

大豆のポークビーンズ

材料

- 茹で大豆（白いんげんでも）……カップ2
- 玉ねぎ（みじん切り）……100g
- ベーコン（みじん切り）……100g
- 小麦粉……小さじ2
- 水……カップ¼
- スープの素……1個
- トマトケチャップ……大さじ3
- ウスターソース……小さじ1
- パセリ（みじん切り）……少々

①厚手鍋にベーコンを入れて火にかけ、脂がにじみ出てきたら玉ねぎを加え、すき通るまで炒める。
②粉をふり入れてさらに炒める。
③茹で大豆、水、スープの素、調味料を加えて汁けがなくなるまで煮こむ。パセリをふって食卓へ。

大豆のポークビーンズ

大豆と野菜のかき揚げ

材料

- 茹で大豆……カップ1
- にんじん（1cmの色紙切り）3cm
- スィートコーン……カップ½
- 衣
  - 小麦粉……カップ⅔
  - 卵……小1個 ／ 冷水 ｝……カップ½
  - 塩……小さじ⅓

①計量カップに卵を割り入れ、冷水を加えて½カップにする。ボールに移してほぐし、塩を加え、粉をさっくりまぜて衣をつくる。
②材料と合わせ、スプーンですくって170℃の油でカラリと揚げる。

カレーコロッケ

ひき肉のかわりに大豆を入れて。ひと口大につくれば軽食にもよい。

材料

- 茹で大豆……カップ1
- 約15個
- じゃが芋……中3個
- 玉ねぎ（みじん切り）……大½個
- パセリ（粗みじん）……少々
- 塩……小さじ½
- カレー粉……小さじ1
- バター……大さじ1
- 小麦粉　卵　パン粉
- 揚げ油

①じゃが芋は茹で、大豆と一緒にマッシャーなどでつぶす。
②玉ねぎはバターでよく炒め、カレー粉、塩を加えてさらに炒める。
③材料全部をよくまぜて冷まして丸め、小麦粉、とき卵、パン粉の順につける。
④180℃の油で揚げる。

揚げぎょうざのサモサ風

中身の用意ができたら、子どもの出番。包み方はいろいろに。

材料

- 茹で大豆（粗くつぶす）……カップ1
- にんにく（みじん切り）……1片
- 生姜（みじん切り）……1片
- 玉ねぎ（みじん切り）……100g
- 合びき肉……100g
- パセリ（粗みじん）……大さじ2
- サラダ油……大さじ1
- Ⓐ
  - カレー粉……小さじ2
  - ケチャップ……大さじ2
  - 醤油……大さじ1
- ぎょうざの皮……約20枚
- 揚げ油

①フライパンに油を熱し、にんにく、生姜を炒め、玉ねぎを加えてすき通るまでよく炒める。ひき肉を加えて色が変わったらつぶし大豆、パセリ、Ⓐを入れ、炒める。
②たねを10等分し、皮2枚の間にはさみ、周りに水をつけて2枚一緒にひだをつけ、花のように形をととのえる。
③低温でゆっくりと揚げる。
●つけ合わせにきゅうり、大根、にんじんのスティックを添えて。

揚げぎょうざのサモサ風

茹で大豆の常備を

大豆1袋（2カップ・300g）は、まとめて茹でると5カップ近い茹で大豆になります。幼児のいる家庭の単位で、ほぼひと月で食べきることのできる量です。保存は1カップずつ小分けにして冷凍庫へ。皮は消化が悪いので、浮いてきたものは除くほか、気がついたらとり出します。

大豆のチーズ焼き

大豆のチーズ焼き

①耐熱容器にバターをぬっておく。
②茹で大豆100g、しめじ50g、塩少々を合わせて器に入れて、角切りトマト小1個、とろけるチーズをたっぷりのせてオーブントースターで焼く。

五目豆

材料

茹で大豆……カップ2
にんじん、れんこん、ごぼう……各50g
昆布……10cm角1枚
こんにゃく……1/3枚
砂糖……大さじ4
塩……小さじ1/5
醤油……大さじ1

茹で方 豆を洗い、かさの3倍の塩水(豆1カップに塩小さじ1/3)にひと晩(7〜8時間)つける。充分にふくらんだ豆をつけ汁ごと厚手鍋に入れて火にかける。沸騰したらあくをすくい、豆がおどらないくらいの火加減にし、途中カップ1/3ほどの水を2回加えながら約1時間茹でる。

五目豆

①にんじんは1cm角に切る。
②れんこん、ごぼうは1cm角に切って酢水につける。
③こんにゃくは、塩でよくもんで茹でておき、色紙切りに。
④昆布も色紙切りにしておく。
⑤茹で大豆と、昆布以外の材料を鍋に入れ、かぶるほどの水を加えて火にかけ、あくをすくいながら煮る。
⑥野菜が少し柔らかくなったら調味料の半量と昆布を入れて煮、柔らかくなったら残りの調味料を加え仕上げる。

圧力鍋で 充分ふくらんだ豆をつけ汁ごと強火にかけ、蒸気が出はじめたら弱火にして10分ほど煮る。
●水につける時間のないときは、圧力鍋に3倍の水と豆を加えて強火にかける。蒸気が出はじめたら火をごく弱火にして1時間煮、そのままさます。普通の鍋では1時間半くらいかかる。

ぶどう豆

ぶどう豆

大豆に限らず、黒豆、いんげん豆でもどうぞ。

材料

大豆(乾)……カップ2
砂糖……カップ1
塩……小さじ1/2
醤油……大さじ1
水……カップ5

①大豆は洗って水をきっておく。
②水、調味料を煮立てて大豆を入れ、火を止めてひと晩おく。
③鍋を火にかけ、沸騰したら火を弱めてコトコトと2時間ほど煮る。
●砂糖は、金時豆なら1.5カップ、黒豆、白いんげん豆は2カップにする。白いんげん豆は醤油を入れずに白く仕上げる。

大豆のポタージュ

大豆とは思えないこっくりした味。

材料

茹で大豆……カップ1/2強
玉ねぎ(薄切り)……100g
にんじん(薄切り)……50g
水……カップ1
牛乳……カップ1〜1 1/2
スープの素……1個
塩……少々
パセリ、バター……少々

①大豆と野菜を水で柔らかくなるまで煮、ミキサーにかける。
②鍋にもどしてスープの素を入れ、煮立ったら牛乳を加え、調味する。
③仕上げにバターを落としてこくをつけ、パセリのみじん切りを散らす。

野菜料理

青菜を含む緑黄色野菜、淡色野菜、芋類などの野菜は、どれも種類が豊富ですから、組み合わせを変え、四季折々の旬の味を生かして、食卓へ並べる工夫をしましょう。種類が増えると自然に量も増えるのです。「野菜たっぷり…」にしなくてはどんなに努力しても、栄養バランスのよい食卓はととのいません。

離乳が完成したばかりの1歳のはじめの頃には、煮野菜中心にします。このときはだしをきかせた薄味のもので。生のものはせん切りにしてようすを見ながら加えます。大人のものより少し柔らかめに茹でたり、ちょっと小さめに切ったり、好きなものにまぜたり…。にんじんやトマトを添えて、見た目からの親しみやすさを出すなどの心配りも大切です。

また、子どもと畑で野菜をつくったり、料理づくりに参加させたら、野菜嫌いがなくなったという声も聞かれます。ひとくせある味も「自然の旨味」として大切にしていれば、子どももだんだん好きになってくるでしょう。

栄養メモ

緑黄色野菜　緑黄色野菜は可食部100g中に含まれるカロテン量が600μg以上のものをさします。唐辛子、しその実、パセリ、にんじん、よめな、よもぎ、春菊、小松菜、ほうれん草、大根の葉、根三つ葉、以上はカロテン量の多い順に並べたものです。大根の葉も貴重な緑黄色野菜です。パセリは1回に食べる量は少ないのですが、カロテン量は豊富です。多くの緑黄色野菜には、独特の匂いがあります。このため子どもは好んで食べない傾向があります。生で食べるときには、この匂いを消すことは、ほとんど難しいようですが、加熱調理する場合には、スパイスや調味料により、その匂いを弱めることは可能でしょう。鉄や葉酸を多く含むものもあります。貧血予防になります。ほうれん草、にら、小松菜などには繊維が多いのですが、匂いがあったり、繊維が口の中でモソモソし、子どもはいやがるかもしれません。また、幼いうちは葉菜類は子どもは、充分に咀《そ》しゃくできないかもしれませんが、煮びたしにして、繊維を柔らかくしてみましょう。

淡色野菜　淡色野菜の中には大根、かぶ、れんこん、玉ねぎを含む根菜類、もやし、うど、セロリなどの茎菜類、トマト、なす、きゅうり、とうもろこしなどの果菜類、ブロッコリーやカリフラワーなどの花菜類があります。淡色野菜は緑黄色野菜に比べ、色の濃いものや匂いの強いものは多くありません。またカ

野菜の旬は…

春

小松菜
ほうれん草
筍
キャベツ
根三つ葉
グリンピース
さやえんどう
そら豆
アスパラガス

夏

じゃが芋
玉ねぎ
かぼちゃ
きゅうり
さやいんげん
トマト
ピーマン
枝豆
とうもろこし
なす
レタス

秋

春菊
さつま芋
里芋
にんじん
ごぼう
カリフラワー
かぶ
キャベツ
茸類
ほうれん草
小松菜

冬

春菊
白菜
ほうれん草
小松菜
京菜
大根
れんこん
ねぎ
ブロッコリー

ロテン量も少ないのですが、ビタミンCやB_{12}、カルシウムなどの栄養素を含むものもあります。淡色野菜を子どもに食べさせる目的は、これらの栄養素を摂取させることや繊維をとらせ、便秘を防ぐことがあげられます。

もう一つ忘れてならないことは、かむ能力をつけさせることです。ごぼうは繊維を多く含むと同時に、炭水化物の一種であるイヌリン（多糖類）を含むので、ごぼう独特の歯ごたえをもちます。

芋類　日常的には、じゃが芋、さつま芋の2種類が最も多く使用されます。その他里芋、やまの芋があります。またこんにゃくやデンプン粉も芋類に入ります。芋類の特徴は水分が多いこと、デンプンが多いこと、ビタミンB_1、Cをかなり多く含んでいることです。しかもこれらのビタミン類は、加熱しても壊れにくいのです。このような性質から、芋類は主食の代用として、また副食用の材料にも適しています。中でもじゃが芋は味が淡白であり、口ざわりも滑らかなので、いろいろな材料と組み合わせて用いることが可能です。さつま芋はじゃが芋に比べ、糖質が多く、甘味もあります。そこで主食として用いるよりも、副菜としてまた、おやつの材料として用いるとよいでしょう。

やまと芋はジャスターゼを多く含み、消化のよいものです。とろろ汁にすると子どもにも食べやすいでしょう。

（岡﨑光子）

青菜は毎日欠かさずに

緑の野菜はともすると苦手な子どもが多いものですが、いうまでもなく青菜は、ビタミン、鉄、カルシウムなど栄養素の宝庫です。青菜といえば、ほうれん草、小松菜と思いがちですが、春菊、ターツァイ、にらなどいろいろなものを使うと味も変化し、飽きずに食べられます。青菜の少ない夏には、つるむらさき、あしたばを利用したり、102頁のピーマンやかぼちゃなどの緑黄色野菜で補いましょう。

おひたし

茹でたてに割り醤油（醤油1・だし2）をかけたおひたしは、青菜の最もシンプルな食べ方。甘味の加わった旬のおいしさをどうぞ。

茹で方

①たっぷりの熱湯を沸かす。
②青菜を根元の方から入れ、強火のまま蓋をせずに、茎が柔らかくなるまで短時間で茹でる。
③手早く冷水に放し、流し水で一気に芯まで冷ます。
④水の中で根元をそろえ、水けをしぼる。あまりきつくしぼりすぎるとすじっぽくなるので、気をつけて。

●毎日でも食べたいおひたしなので、けずりガツオ、ごま、のり、しらす干しなど上にのせるもので変化をつける。
●春菊、にらなど香りの強いものをほうれん草と合わせるなどすると、またひと味変わったおひたしになる。
●小さな子どもには、のりや薄焼き卵で巻いて、ひと口で食べられる形にするのもよい。

和えもの

青菜はちょっと……という子どもには和え衣で変化に豊んだ味つけを。茹でた青菜の水けをおひたしよりやや強めにしぼって2cm長さに切り、それぞれの衣で和える。

ほうれん草のピーナッツ和え

ごま和え

ほうれん草、小松菜、春菊などを使って。香りのよいすりごまにだしと調味料を加えてまぜ、青菜と合わせる。

材料
- 青菜……200g
- すりごま……大さじ2（当たりごまなら大さじ1）
- 砂糖……小さじ1
- 醤油……小さじ2
- だし……大さじ1½

ほうれん草と春菊ののり酢和え

春菊の香りのする、さっぱりとしたのり酢和え。茹でた青菜にのり、錦糸卵をまぜ合わせ、合わせ酢をかける。

さっと茹でたもやしや、きのこを加えてもおいしい。

材料
- ほうれん草、春菊合わせて200g
- 焼きのり（もみほぐす）……1枚
- 薄焼き卵（せん切り）……½個分
- 酢……大さじ1½
- 醤油……大さじ½
- 砂糖……小さじ1

おろし和え

下味をつけた青菜を、かるく水けを切り調味した大根おろしで和える。青菜はほうれん草、春菊、小松菜、にらなどで。

材料
- 青菜……200g
- 醤油（青菜の下味に）……小さじ1
- 大根（おろして水けを切る）……100g
- 塩……ひとつまみ
- 醤油……小さじ1
- 砂糖……小さじ2
- 酢……大さじ2

●青菜は2種類をまぜ合わせても。わかめ、しらす干し、りんご、かき、きのこなどを加えるのもよい。

ピーナッツ和え

無糖のピーナッツバターを調味料でゆるめ和え衣にします。ほうれん草、小松菜などで。

材料
- 青菜……200g
- ピーナッツバター……大さじ2
- 砂糖……小さじ1
- 醤油……小さじ1
- だし……大さじ1½

にらともやしのごまびたし

3cm長さに切ったにらをもやしと一緒にさっと茹で、ごま醤油で野菜が熱いうちに和える。

材料

- にら……1わ
- もやし……1/2袋
- すりごま……大さじ3
- 醤油……大さじ1
- ごま油……大さじ1
- 水……大さじ1/2

煮びたし

青菜をじゃこなどと一緒に薄味の煮汁でさっと煮ると、おひたしや和えものとは、また違ったおいしさに。

材料

- 青菜……150g
- じゃこ……10g
- だし……カップ1
- 醤油……大さじ1
- 酒……大さじ1
- 砂糖……小さじ1

煮汁を合わせて煮立て、じゃこと青菜を入れてひと煮する。小松菜、京菜、かぶの葉などはさっと下茹でしてしぼったものを、にら、チンゲン菜などは生のまま煮汁に。

●じゃこのほか、油揚げ、厚揚げ、鮭缶、桜えびなどと一緒に煮るのもよい。

ほうれん草のサラダ

茹で卵マヨネーズ

茹でたほうれん草は2〜3cmに切り、その上にあらみじんにした茹で卵をマヨネーズで和えてのせる。彩りにトマトを添えて。

中華ドレッシング

茹でて2〜3cmに切ったほうれん草と細切りにした薄焼き卵(69頁)や蒸しどり(82頁)を中華ドレッシング(サラダ油、ごま油、酢各大さじ1/醤油小さじ2/塩小さじ1/4)で和える。

ほうれん草のサラダ

ほうれん草のグラタン

耐熱皿にバターをうすくぬり、そこに茹でて2cm長さに切ったほうれん草をさっとソテーし、かるく塩、こしょうしてしく。茹で卵の輪切りをほうれん草の上に並べ、ホワイトソース(67頁)をたっぷりかけ、粉チーズか、ピザ用のとけるチーズを散らし、オーブン(オーブントースターでも)に入れてこげ目がつくまで焼く。

●茹で卵のかわりに、芝えび、かき、ほたて貝の水煮缶などでも。

ターツァイの炒めもの

小松菜、チンゲン菜、にらでも。

材料

- ターツァイ……1株
- 豚肉(細切り)……50g
- 春雨(乾)……30g
- 醤油　酒　サラダ油

①ターツァイは、葉と茎に分けて短く切る。

②豚肉に醤油と酒で下味をつけておく。

③春雨は熱湯につけてもどし、3cm長さに切る。

④鍋に油を熱して肉を炒め、ターツァイを(茎を先に)加えて炒め、醤油、酒(各小さじ2)をまわし入れ、春雨を加えて炒め合わせる。

ターツァイの炒めもの

にらたまチーズ

材料

- にら……1わ
- ピザ用チーズ……約60g
- 卵……2個

フライパンを熱してサラダ油をひき、2cm長さのにらを入れ底全面に広げて軽く塩、すぐにチーズを散らし、とき卵を流し入れて蓋をして、卵が半熟程度で火を止める。

●好みでケチャップを添える。

にらたまチーズ

緑黄色野菜を使って

にんじんグラッセ

初めて食べたおいしいにんじんグラッセで、すっかりにんじん好きになったという例も。

材料

にんじん……200g
バター……10g（約大さじ1）
砂糖……小さじ2
塩……小さじ1/4〜1/3

①にんじんは3〜4cm長さに切り縦4〜6つ割り、または5mm厚さの輪切りにする。
②鍋ににんじん、塩、バター、砂糖を入れ、ひたひたに水を加えて煮含める。
③柔らかくなったら蓋をとり、煮つめながらつやよく仕上げる。

リボンにんじん

サラダやつけ合わせに、包丁を使わず手早くできる切り方で。にんじんを皮むき器でひくと、リボンのようなうす切りができる。これを酢を落とした熱湯で、色よくさっと茹でて、豆腐ドレッシング（82頁）で和える。このほか次のようなソースで和えるのもよい。

リボンにんじん

ソースいろいろ

●ヨーグルトソース
プレーンヨーグルト カップ1/4
サラダ油大さじ1/2〜1／塩 こしょう
●オーロラソース（82頁）
●カッテージチーズとマヨネーズ
1対1 塩少々

かぼちゃの甘煮

①かぼちゃ200gは種を除き、皮のところどころをそぎとり、ひと口大に切る。
②鍋にかぼちゃ、砂糖大さじ2杯、塩小さじ1/3杯、ひたひたの水を入れて中火で柔らかくなるまで7〜8分煮る。
●そぼろ煮にしても（105頁）。

かぼちゃのソテー

かぼちゃは4〜5mm厚さに切って、バターをひいたフライパンに並べ、蓋をして、弱火でゆっくり焼き、塩をふる。

パンプキンサラダ

パンプキンサラダ

カルシウムたっぷりのカッテージチーズを使って。組み合わせは、きゅうり、アスパラガス、セロリなども。

材料

かぼちゃ……200g
いんげん……100g
カッテージチーズ……50g
マヨネーズ……大さじ3
塩……小さじ1/3弱

①かぼちゃはスプーンで種をとり、1cmの角切り、いんげんも1cm長さに切り、それぞれ茹でる。
②カッテージチーズとマヨネーズをまぜてかぼちゃ、いんげんを和え、塩で味をととのえる。

ブロッコリーのエビあんかけ

ブロッコリーのエビあんかけ

材料

ブロッコリー（茹でて小房に分ける）……1株
むきエビ（背わたをとる）……150g
酒……小さじ1
片栗粉……小さじ1/2
生姜薄切り……2枚
合わせ調味料
　スープ（スープの素1/2個）……カップ3/4
　酒……小さじ1
　砂糖、塩……各小さじ1/3
　片栗粉……小さじ2
サラダ油……大さじ2

①エビに酒をまぶしておく。
②中華鍋に大さじ1杯の油を熱し、茹でたブロッコリーをさっと炒め、皿にとる。

③その鍋に新たに油をひき、生姜を炒めて香りをだし、エビに片栗粉をまぜ入れてから炒める。
④合わせておいた調味料を加えてひと煮し、とろみをつけてブロッコリーにかける。

ブロッコリーのチーズ焼き

茹でたブロッコリーを耐熱皿に並べ、とかしバターをかけてオーブントースターで焼き、とろけるチーズをちらしてもう一度焼く。

ブロッコリーのおひたし

①小房に分け、茎も2～3つ割りにし、塩少々を落とした、たっぷりの熱湯で茹でる。
②茹でたてに、割り醤油をまぶし、けずりガツオをかける。
●茹ですぎないように気をつけて。

いんげんと牛肉の炒めもの

材料
- いんげん……150g
- 牛肉薄切り……100g
- ｛醤油……小さじ2
- ｛サラダ油……小さじ1
- 片栗粉……小さじ1弱
- 塩　醤油　サラダ油

①牛肉は繊維にそって細切りにし下味をつける。
②いんげんは太いものは縦に割って、4～5cm長さに切り、さっと茹でる。
③鍋に油を熱し、汁けをきった肉に、片栗粉をまぶして炒める。色がかわったらいんげんを加えて炒め、塩をふり、醤油少々を鍋肌にそわせて入れ、味をなじませる。
●ピーマン、筍、じゃが芋、にんじん、玉ねぎ、アスパラガス、さやえんどうなどを組み合わせてもよい。

トマトのサラダ

ニース風サラダ
じゃが芋、いんげん、卵は茹でてトマトと共に食べやすく切る。ツナ缶をほぐして加え、フレンチドレッシングで和える。

サイコロサラダ
トマトの角切りと、きゅうりの角切りをフレンチドレッシングで。

リンゴソースかけ
りんごをすりおろし、レモン汁、砂糖、塩少々をまぜてかける。

夏野菜の蒸し煮

野菜から出る水分だけで煮上げ、くずさないようにまぜずに仕上げます。パンのおかずにも。

材料
- 玉ねぎ(みじん切り)……1/2個
- にんにく(みじん切り)……1片
- サラダ油……大さじ2
- きゅうり……2本 ｝約1kg
- なす……2個 ｝
- ピーマン……1袋 ｝
- かぼちゃ……1/4個 ｝
- トマト……大1個 ｝
- 青じそ(粗みじん)……5枚
- タイム……小さじ1/2
- ベイリーフ……1枚
- 塩……小さじ1 1/2

①野菜をそれぞれ1cm角に切る。
②トマトは皮を湯むきし、種をとって1cm角に切る。
③鍋に油を熱し、玉ねぎ、にんにくをよく炒め、青じそ、タイム、ベイリーフを加えてさらに炒める。
④トマト以外の野菜を入れ、全体を返しながら炒め、トマトを加え水分がなくなるまで、まぜずに20分位蓋をして煮、塩で調味する。
⑤冷やして食卓へ。
●肉や魚のつけ合わせにもどうぞ。

ピーマンのかか煮

材料
- ピーマン……1袋
- サラダ油……大さじ2
- カツオ節……大さじ5
- 砂糖……大さじ1
- 醤油……大さじ1 1/2
- ごま……大さじ1

ピーマンは、縦に細切りにして油でゆっくり炒め、カツオ節、調味料で味つけし、ごまをふり入れる。

いんげんと牛肉の炒めもの

トマトのサイコロサラダ

ピーマンのかか煮

淡色野菜を使って

キャベツと油揚げのごま酢和え

材料

- キャベツ……300g
- 油揚げ……2枚
- 和え衣
  - いりごま(白)……大さじ3
  - 砂糖……大さじ1
  - 酢……大さじ1
  - 塩……ひとつまみ
  - 醤油……小さじ½
  - 生姜のしぼり汁……少々

①キャベツの葉をたっぷりの湯で茹で、長さ3cmのせん切りにし、かるく水けをしぼる。

②油揚げは湯通しをし、細切りにする。

③いりごまをすり、調味料を加えて和え衣をつくり、キャベツと油揚げを和える。

コールスロー

せん切りキャベツは小さい子どもにとって案外食べにくいもの。かるく塩をしてしんなりさせると、かさが減って量が食べられます。にんじんとセロリも加えてサラダに。冷蔵庫で保存すれば3～4日はおいしく食べられるのでたっぷりつくります。

材料

- キャベツ……400g
- にんじん……50g
- セロリ……½本
- 塩……小さじ1
- マヨネーズ……大さじ1
- 酢……大さじ2～3
- 砂糖……小さじ1

①野菜は全て4～5cm長さのせん切りにし、塩をふりかけてまぜ、1時間ほどおく。

②マヨネーズに酢、砂糖を加えて合わせ、野菜の水けをかたくしぼって和える。

●好みでフレンチドレッシングで和えても。

●カリカリベーコンやキャラウェイでひと味プラスしてもよい。

かんたんキャベツ

キャベツの甘味が引き立つひと皿。野菜がもうひと品ほしいとき電子レンジを使って。

食べよい大きさに切ったキャベツにかるく塩をふり、ちぎりバターを散らして蓋をし加熱する。新キャベツがことにおいしい。

白菜のミルク煮

白菜のミルク煮

材料

- 白菜(3cm角切り)……400g
- 生椎茸(薄切り)……3枚
- ベーコン(細切り)……3枚
- スイートコーン……カップ½
- スープ(スープの素½個)カップ½
- 牛乳……カップ1
- 塩……小さじ⅓
- 片栗粉……大さじ1
- 水……大さじ2

①厚手鍋に白菜の茎の部分を敷き、ベーコン、椎茸を散らし、残りの白菜を重ねる。

②そこに塩、スープ、牛乳を入れて煮立て、火を落として弱火で白菜が柔らかくなるまでゆっくりと煮る。

③コーンを加えてひと煮立ちさせ、水どき片栗粉でとろみをつけて仕上げる。

白菜とりんごのサラダ

りんごの甘みが白菜の味を引き立てるコンビネーションサラダ。

材料

- 白菜……200g
- りんご(かきでも)……½～1個
- サラダ油……大さじ2
- 酢またはレモン汁……大さじ1
- 塩……小さじ½
- こしょう……少々

白菜はせん切りに、りんごは皮をむいてせん切りやいちょう切りにし、ドレッシングで和える。

●レーズン、くるみをまぜても。

ドレッシングの合わせ方の注意

酢、塩、こしょうをまぜ合わせて塩をとかしたところに油を加え、泡立器で白くとろりとなるくらいにかきまぜる。

小さな泡立器が一つあるとドレッシングをつくるときに便利。

なすとピーマンの味噌ソテー

①なす3個は縦に4つ割りにして、5mmの厚さに切る。

②ピーマン3個は、縦にせん切りにする。

③フライパンに油を熱し、なす、ピーマンの順に炒めて合わせ味噌（味噌、砂糖各小さじ2、水大さじ1）を加えて味をととのえる。
●しそのせん切りを加えてもおいしい。

蒸しなすの炒り卵かけ

材料
なす……3個
割りした……適宜
卵……2個
醤油……小さじ2
砂糖……大さじ1
ねぎ（みじん切り）……大さじ3
ごま油……大さじ1

①なすはへたをとり、縦に4つ割りし、皮を下にして器に並べ、強火で4～5分蒸す。
②フライパンにごま油をひき、ねぎを炒め、砂糖、醤油を加えたとき卵を入れ、柔らかい炒り卵をつくる。
③蒸したてのなすをひと煮した割りした（醤油3・だし1・みりん1の割合）にくぐらせて器に盛り、上から炒り卵をかける。
●盛りつけて冷蔵庫で冷やしていただくとおいしい。

蒸しなすの炒り卵かけ

かぶのそぼろあんかけ

かぶの淡白な味わいを生かして薄味に。野菜のそぼろあんかけは口当たりがよいので、子どもの好きなおかずのひとつ。冬には大根、かぼちゃ、里芋など。夏にはなす、とうがんなどを冷たくして—。

材料
かぶ……500g（1わ）
とりひき肉……150g
だし……カップ1
砂糖……小さじ1
醤油……大さじ1½
塩……小さじ½
片栗粉……小さじ2
水……大さじ1½

①かぶは茎を少し残して皮をむき、4つ割りにする。
②鍋にひき肉を入れて弱火にかけ、スプーンでつぶしながらポロポロに炒ってほぐす。
③かぶを加えてだしを注ぎ、調味料を入れ、かぶが柔らかくなるまで煮て、水どき片栗粉でとろみをつける。
●大人には生姜や柚子のせん切りを天盛りにして。
●残った葉はさっと茹で、細かく切って仕上げに散らしたり、和えものや、煮びたしなどに。
●かぶによっては早く煮くずれるものもあるので、頃合いを見ることが大切。
●かぶの茎を少し残して調理するときに、茎の間に泥が入りこんでいることがあるので、しばらく水につけてから蛇口の下で竹串などでつつきながら洗い流す。

かぶのそぼろあんかけ

かぶのサラダ

秋から冬においしいかぶは、生食できる野菜の中でも、柔らかな歯ざわり。小さな子どもにも食べやすい味なので、サラダや甘酢づけなどにとり合わせてたっぷり用意します。

①かぶ（300g）は皮をむき、半分に切って薄切りにし、塩小さじ½杯をふってかるくまぜておく。しんなりしたらかるくしぼる。
②マヨネーズ大さじ1½杯、レモン汁小さじ1杯をまぜて和える。
●りんご、かき、甘夏みかんなどの旬のくだものととり合わせ、フレンチドレッシングで和えると色合いのよいサラダに。

かぶのあちゃら

さっぱりとした味わいで、和風献立の一品に。常備菜、おべんとうにも。

①かぶ（200g）は、3～4㎜厚さの薄切りにしサラダの①と同様に塩をする。
②甘酢（酢、だし各大さじ2／砂糖大さじ1／塩少々）に漬ける。
●菊花かぶは、ごく小さいかぶを切り放さないよう縦横に、細かく切り目を入れて、あちゃらと同じようにつくる。開くと白菊のようになる。

大根と豚肉の煮もの

①大根は3cm厚さの4つ割りに。
②鍋に大根と肉を並べ、ひたひたに水を加えて火にかける。
③煮立ったらあくをすくい、調味料を加え火を弱めて、大根が柔らかくなるまで煮含める。
④水どき片栗粉でとろみをつけて盛りつける。
●厚揚げ、ごぼう、にんじんなどを一緒に炊き上げてもよい。

材料

- 大根……600g
- 豚バラ肉薄切り（ひと口大に切る）……150g
- 砂糖……大さじ2
- 酒……大さじ1〜2
- 醤油……大さじ3
- ｛片栗粉……小さじ2／水……大さじ1｝

炒りどり

①さやえんどう以外の野菜類は全て小さめの乱切りにし、れんこんとごぼうは水に放してあくをぬく。
②油を熱してとり肉を炒め、他の材料も加えてさらに炒め、調味料とだしを加える。ときどき鍋返しをし、汁をからめるように煮る。
③さやえんどうを加えて、ひとまぜする。

材料

- とり肉（ひと口大に切る）……200g
- れんこん／ごぼう／茹で筍（または里芋）／こんにゃく（湯通し）……各100g
- にんじん……小1本
- 干し椎茸（もどす）……4枚
- さやえんどう（茹でる）7〜8枚
- サラダ油……大さじ2
- だし（椎茸のもどし汁を含む）……カップ1
- 砂糖、みりん……各大さじ1½
- 醤油……大さじ3½

実だくさんの汁もの

とりどりの野菜が入る汁ものは、家庭料理ならではのもの。実だくさんなので、野菜の分量も充分にとれ、忙しいときには他にごはんと焼き魚だけでも食卓がととのうほどです。翌朝や、お昼にもくりまわせる重宝なものなので、たっぷりとつくります。分量はどれもつくりやすいひと鍋分です。

豚汁

豚汁

材料

- 豚バラ肉薄切り（ひと口大に切る）……150g
- さつま芋（里芋、じゃが芋でも）……150g
- 大根……150g
- にんじん……½本
- ごぼう（斜め薄切りにしてせん切り）……½本
- 長ねぎ（小口切り）……5〜6cm
- 味噌……80g

①さつま芋は厚さ8mmくらいの輪切りにし、大きければ半分にし、水に放しておく。
②にんじんはいちょう切り、大根はにんじんより厚めのいちょう切りにする。
③鍋に水カップ5を入れ、豚肉と野菜（長ねぎは残す）を加えて火にかける。
④煮立ってきたら弱火にして、浮いてくるアクをとり、野菜が柔らかくなるまでコトコト煮る。
⑤味噌をとき入れ、長ねぎを加えひと煮立ちさせてでき上がり。

けんちん汁

ひと冬に何度も食べたいとり合わせの汁もの。

材料

- とり肉（細かく切る）……100g
- 豆腐……1丁
- ｛大根……150g／にんじん……50g｝いちょう切り
- ごぼう（斜め薄切りにしてあくぬき）……50g
- 里芋（5mm厚さの輪切り）……100g
- 干し椎茸（もどしてせん切り）……3枚
- 長ねぎ（小口切り）……½本
- だし……カップ5
- 塩……小さじ1〜1½
- 醤油……小さじ2
- サラダ油……適宜

①鍋に油を熱してとり肉を炒め、大根、にんじん、ごぼう、里芋、椎茸の順に入れて炒め、さらに豆腐をくずしながら加えて炒める。
②だしを加え、煮立ったら弱火にしあくをとり、塩を入れて煮る。
③材料が柔らかくなるまで15分ほど煮、ねぎを加えて、醤油で味をと

とのえる。
●油揚げ、こんにゃくなどを加えてもよい。

味噌汁

実は3種類、ときには4種類組み合わせて。

実のとり合わせ
豆腐、わかめ、ねぎ／じゃが芋、玉ねぎ、わかめ／大根、油揚げ、ねぎ／かぼちゃ、玉ねぎ／キャベツ、油揚げ、えのき茸／かぶ、かぶの葉、油揚げ／里芋、豆腐、油揚げ、さやえんどう／にら、油揚げ

●味噌の分量は一椀に大さじすりきり1杯を目安に。
●味噌は、ぐらぐらと煮立てないこと。

リゾット風スープ

野菜たっぷりのイタリア風スープ。

リゾット風スープ

材料
- 米……カップ½
- 長ねぎ(粗みじん)……1本
- ベーコン……3枚
- にんじん……小1本
- 大根……300g
- キャベツ……300g
- なす……2個
  （にんじん、大根、キャベツ、なすは5㎜角切り）
- サラダ油……大さじ2
- 水……カップ6
- 塩……適宜

①米は洗ってざるに上げておく。
②鍋にサラダ油を熱し、長ねぎをよく炒める。次にベーコンを炒め、さらに残りの野菜を加えて炒め、米を炒めたら水を注いで蓋をし、弱火でコトコト30分煮る。
③最後に野菜から出た旨味を生かして塩で薄味に仕上げる。
●時間がたつと米が水分を吸いとるので、翌朝にはスープを足して。

ミネストローネ

ミックスされた野菜の風味が、トマトの味でしまります。

材料
- じゃが芋……大1個
- 玉ねぎ(または長ねぎ)……1個
- にんじん、セロリ、キャベツ、かぶなど……各適宜
- トマト(皮をむく)……1個
- ベーコン……3枚
- バター……大さじ1
- にんにく(みじん切り)……1片
- マカロニ……カップ½
- 水……カップ5
- スープの素……1個
- 塩　こしょう　パセリ　チーズ

①ベーコンと野菜はすべて1㎝角に切る。
②スープ鍋にバターをとかし、ベーコンとにんにくを炒め、脂が出てきたらトマト、じゃが芋以外の野菜を入れてしんなりするまで炒める。
③水、スープの素、トマト、じゃが芋を加え、沸いてきたらあくをとり、弱火で野菜が柔らかくなるまで煮る。
④マカロニを加え、柔らかくなるまで煮、塩で味をととのえる。
⑤器に盛り、パセリ、チーズをふる。
●トマトの皮むき／熱湯の中に丸ごと入れて、皮がはじけたら、素早く冷水にとり皮をむく。
●スープの半量を牛乳にかえてもおいしい。この場合はトマトとにんにくは入れずに。

ジュリアンスープ

ジュリアンとはせん切りのこと。
キャベツ100g、玉ねぎ、にんじん各50gは4～5㎝長さにせん切りにする。玉ねぎをバターでしんなりするまで炒め、にんじん、キャベツ、水3カップとスープの素1個を入れ、野菜が柔らかくなるまで煮、味をみて塩を加える。
●セロリ、大根、ねぎなどでも。

かぼちゃのポタージュ

材料
- かぼちゃ……300g
- 玉ねぎ(薄切り)……中½個
- にんじん(いちょう切り)……100g
- バター……大さじ2
- 水……約カップ1
- スープの素……1個
- 牛乳……カップ3
- 塩……小さじ⅓／こしょう

①かぼちゃは種をとり、1㎝厚さのひと口大に切って皮をとる（大きいまま電子レンジで3分ほど加熱すると簡単に切れる）。
②バターをとかして玉ねぎをすきとおるほどに炒め、かぼちゃ、にんじん、スープの素と水をひたひたに加え、柔らかくなるまで煮る。
③ミキサーにかける。
④鍋にもどし、牛乳でのばして塩、こしょうをし、ひと煮立ちさせる。
●クルトンやパセリを散らしても。
●③までのピューレをまとめてつくり小分けにして冷凍しておくと朝は牛乳を加えるだけ。

じゃが芋　さつま芋　里芋を使って

芋は蒸したり茹でたりしただけでおいしいものですが、毎日とるためにレパートリーをふやして、芋料理の達人になりましょう！

少量を加熱するには電子レンジが楽。鍋ならまとまった分量を一度に、時間と経済の節約になります。まとめて洗い、乾かしておくだけでも助かります。

ポテトコロッケ　写真76頁

材料

- 合びき肉……100g
- 玉ねぎ……½個
- じゃが芋……4個(500g)
- 塩……小さじ⅔
- こしょう……少々
- 小麦粉　とき卵　パン粉　揚げ油

①じゃが芋は乱切りにし、茹でてマッシュする。電子レンジを使う場合は、中2個が約7〜8分。
②玉ねぎ、ひき肉を炒め(76頁)、芋とまぜ塩、こしょうする。大人、子ども用に大きさをかえて丸め、衣をつける。
③180℃の油で表面がカリッとするように揚げる。

シェパーズパイ　(21cmパイ皿1枚分)

材料

- マッシュポテト
  - じゃが芋……600g
  - バター……大さじ1½
  - 牛乳……カップ⅓強
  - 塩……小さじ¾
- ひき肉炒め
  - 合びき肉…200g　塩　こしょう
  - 玉ねぎ(みじん切り)……1個
  - にんじん(みじん切り)…20g
  - 小麦粉……大さじ3
  - 牛乳……カップ¼
- サラダ油　バター
- パセリ(みじん切り)…大さじ3

①じゃが芋は切って茹で、熱いうちにマッシャーでつぶす。鍋にバター、牛乳、塩を入れて熱くし、とけたら火を止めて、じゃが芋を手早くまぜる。
②玉ねぎとにんじんを炒め、ひき肉を加えてほぐしながらさらに炒め、塩、こしょうをし、粉をふりこみ、牛乳を加えて煮つめる。
③耐熱皿に薄くバターをぬり、マッシュポテトの半量を敷き、②のひき肉炒めをのせ、パセリをふって残りのマッシュポテトを重ねて平らにし、上にフォークですじをつける。
④200℃のオーブンでうっすらと色がつくまで、約20分ほど焼く。
●さつま芋やかぼちゃのマッシュでも。粉チーズをふって焼いても。

シェパーズパイ

ポテトとサケの重ね煮

材料

- じゃが芋……500g
- 玉ねぎ(薄切り)……大1個
- サケ缶……中1缶
- バター……大さじ3
- 小麦粉……大さじ2
- 塩……小さじ1½
- 牛乳……カップ1½

①じゃが芋は5㎜厚さの輪切りにして水にさらしておく。
②厚手鍋にバター大さじ1をとかし、½量の玉ねぎをひと並べし、その上に½量のじゃが芋を並べ、バター大さじ1、塩小さじ1、小麦粉大さじ1を茶こしでふるい入れ、水けをきったサケ缶をほぐし入れる。
③もう一度同じように、じゃが芋、玉ねぎ、バター、塩、粉の順で入れ、上から牛乳をまわしかけて蓋をし、弱火でじゃが芋が柔らかくなるまで煮る。
●オーブンで焼けば簡単なグラタンに。

ポテトサラダ

①きゅうりは、塩少々をふり、玉ねぎは水にさらしてざるに上げる。
②じゃが芋、にんじんはひたひた

材料

じゃが芋（1cmの角切り）……300g
にんじん（1cm角、7〜8mm厚さ）70g
きゅうり（半月の小口切り）1本
塩……少々
玉ねぎみじん切り……大さじ2
マヨネーズ……大さじ山2

の水から茹でて冷ます。

③材料を合わせてマヨネーズで和え、味をととのえる。

●りんごを加えてもよい。8つ割りにしていちょう切りにし、レモン汁をかけて。

●茹で卵とパセリのみじん切りをちらしてもよい。

農夫の朝めし

材料

じゃが芋（5mm厚さのいちょう切り）200g
にんじん（5mm厚さのいちょう切り）50g
玉ねぎ（薄切り）……½個
ベーコン（細切り）……2枚
卵……2個

じゃが芋、にんじんを茹でる。

フライパンに油を熱し、ベーコン、玉ねぎ、じゃが芋、にんじんの順に炒めて塩、こしょうする。とき卵を流し入れて火を弱め、蓋をして好みのかたさに仕上げる。

●粉チーズ、パセリ、グリンピースを加えてもよい。

その他のじゃが芋料理

ジャーマンポテト　玉ねぎの薄切りとベーコンの細切りをサラダ油でしんなりとするまで炒める。茹でじゃが芋を薄く切って加え、塩、こしょうして炒め合わせる。

スイス風ポテト　ボリュームのある副菜。油（バターとサラダ油半半で）を熱したフライパンに、細切り芋を入れ、塩、こしょうして押しつけながら形を丸くととのえ、弱火のまま、両面にこんがり焼き色をつける。

じゃが芋のきんぴら　じゃが芋はせん切り、または拍子木切りにし水にさらす。少量の油を熱して芋を炒め、醤油2、砂糖1の割合で調味し、いり胡麻をふる。

●干し椎茸、にんじん、ピーマン、ベーコンを加えてもよい。

甘酢煮　じゃが芋150gをマッチ棒太さのせん切りにして水にさらし、水大さじ3杯と一緒に火にかけ、砂糖、酢各大さじ1杯、塩小さじ⅓杯を加えて、歯ごたえの残るくらいに炒り上げる。

じゃが芋は〝つけ合わせ〟においしい……

マッシュポテト　柔らかな舌ざわりが子どもに喜ばれる。牛乳の量でかたさを調節（つくり方はシェパーズパイ参照）。

粉ふき芋　雪玉のようなシルエットでおなじみ。乱切りにして茹でたじゃが芋の水けをきって、塩少少を入れ弱火にかけて水けをとばし、粉をふかせる。粉チーズやパセリをふっても。砂糖でほんのり甘みをつければ和風に。

チーズ焼き　耐熱皿に油をぬり、薄い輪切りの芋、とろけるチーズ、コーンフレークスの順で重ね、オーブントースターで焼く。これだけでたっぷりしたひと皿にもなる。

ソテー　玉ねぎと茹でじゃが芋を炒める。肉や魚のつけ合わせのほか、オムレツの具にも。

フライドポテト　揚げたてのあついうちにかるく塩をふりかけて、洋風の肉料理に。

茹でたじゃが芋を使って……

●**輪切りにして**
ソテー、チーズ焼き（下段）、重ね焼き、グラタン

●**細切り、他**
ジャーマンポテト、農夫の朝めし、ポテトサラダ

じゃが芋のマッシュがあれば……

茹でたてをマッシュして保存。使うときにもう1度火を通しながら調味する。

●コロッケ（右頁）
●マッシュポテト
●ポタージュ
●肉や魚にはさんでフライに、卵で包んだオムレツに。
●シェパーズパイ（右頁）

じゃが芋　さつま芋
里芋を使って

さつま芋と りんごの重ね煮

りんごの酸味とさつま芋の甘みでさわやかに。あんずを加えても。

材料
- さつま芋……400g
- りんご（あれば紅玉）……1個
- 砂糖……大さじ3～4
- 塩……小さじ½
- バター……大さじ2

①りんごとさつま芋は皮をむいて5㎜厚さのいちょう切りにし、それぞれ水に放してざるに上げる。
②鍋（あればホーロー）に砂糖、塩、バターを間に散らしながらさつま芋とりんごを交互に重ね、ひたひたより少なめの水を注いで火にかけ、沸騰したら弱火にし20～30分、水けがなくなるまで煮る。

さつま芋と すき昆布の煮もの

さつま芋のほのかな甘みで、昆布もおいしく食べられます。

材料
- さつま芋……200g
- すき昆布……½枚
- だし……カップ1
- 砂糖、みりん、醤油…各大さじ1
- 塩……ひとつまみ

①さつま芋は1㎝厚さの輪切りにし、水にさらす。
②すき昆布はたっぷりの水に2～3分つけ、もむようにして砂や汚れを洗いおとし、ざるにとり、食べやすい長さに切る。
③鍋にだしと調味料を入れて火にかけ、芋と昆布を入れ、煮立ったら火を弱め、芋がふっくらと柔らかくなるまで煮含める。

さつま芋の レモン煮

にんじんグラッセのようにバター煮にしてもおいしいものですが、レモン風味の甘煮は、和風、洋風どちらにも合う副菜に。レモンの酸味で驚くほどきれいな色に仕上がります。

材料
- さつま芋……1本(250g)
- レモン(国産・薄切り)2～3枚
- 砂糖……大さじ2
- 塩……小さじ⅕

①さつま芋は1㎝厚さの輪切りにし、皮をくるりとむいて（皮はそのままでも）水にさらす。
②鍋に芋、ひたひたの水、レモン、調味料を加え、柔らかくなるまで煮る。
●レモンを入れずに、果汁100%のオレンジジュースだけで煮ても。

さつま芋のレモン煮

さつま芋の かき揚げ

少ない油で手軽に。

材料
- さつま芋……1本(250g)
- 衣…卵½個と水でカップ½／小麦粉カップ½強／いりごま(黒)大さじ1／塩少々
- 揚げ油

芋は1㎝角に切り、衣と合わせて大さじ1杯位ずつ油に落とし、すぐに箸で平らに広げ、返して火を通す。

里芋の含め煮

甘辛く煮た里芋はごはんにぴったり。子どもにもぜひ伝えたい素朴なおかず。煮汁のあるうちに火を止めて、そのまま蒸らし煮含める。このほか里芋は薄味に煮てそぼろあんかけ（105頁）にしても、秋口に出始める新ものをごはんに炊きこんでもおいしい。

材料
- 里芋……500g
- だし……カップ2
- 砂糖……大さじ2
- みりん……大さじ1
- 醤油……大さじ2

①里芋は土を洗いおとし、乾かしておく。
②皮をむき、乾いた布巾で拭く。
③鍋に里芋とだしを入れて火にかけ、砂糖、みりん、醤油を加え、蓋を半がけにし、さわらずに弱火で柔らかくなるまで煮る。
④煮汁が少なくなったら蓋をとり、鍋をゆすって煮汁をからませる。
●八つ頭、セレベスの含め煮は、醤油をひかえ、その分を塩で調味し芋の色を残して。

里芋の含め煮

保存のきく野菜料理

野菜は洗ったり切ったりするだけでも、ひと手間かかるものです。冷蔵庫の中に、すぐ食べられる状態の野菜料理を用意することで、一回の食事づくりがとても楽になります。ぜひおためし下さい。

きんぴら

つくりおきのできる野菜の筆頭はなんといってもきんぴら。醤油味のおかずは、ほっとする味つけです。

ごぼうとにんじん

野菜を3～4cm長さの細切りにし、ごぼうは水に放してあくをぬく。材料を油で炒めながら水少々をふってしんなりさせ、醤油3、酒1、砂糖1の割合で調味料を加えて仕上げる。

ごぼうのささがきは、縦に包丁目を数本入れ、皮むき器で引きながら水に放すと、短時間で簡単に仕上がります。

●ごぼうとにんじん以外の野菜にも挑戦してみましょう。じゃが芋、ピーマン、れんこんなどは単品でもおいしく、しらたき、干し椎茸、じゃこを加えてもよい。

野菜の甘酢漬け

材料

野菜(大根、にんじん、セロリ、きゅうり、キャベツ、カリフラワー、かぶなど)旬のものを2、3種……合わせて500g
刻み昆布……ひとつまみ
合わせ酢
酢……大さじ3
サラダ油……大さじ1
砂糖……大さじ1½
塩……小さじ1½

材料の野菜を2.5cm長さの棒状に切り、カリフラワーはほぐす。合わせ酢を容器に入れて、野菜と昆布を一緒につけこむ。

●一日たつと野菜からの水分がでて味がなじみおいしくなる。

●にんじん、キャベツ、カリフラワーはさっと茹でると食べやすい。

ピクルス

酢カップ1、砂糖カップ⅓～½、水カップ⅓に、ベイリーフ、クローブ、粒こしょう、赤唐辛子など好みのスパイスを加えて煮立たせておく。

材料をひと口大に切り、1％の塩をふってざるにのせて半日くらい水けを切る。ピクルス液にひたして翌日からいただく。

野菜の甘酢漬け

甘酢れんこん

材料

れんこん……200g
合わせ酢(酢、だし各大さじ3 砂糖大さじ1 塩小さじ⅓)

①れんこんは皮をむき、太ければ半分にして薄切りにし、酢水にしばらくつける。

②れんこんの水けをきって、熱湯でさっと茹で、合わせ酢につける。

●おすしのほかに、ピクルスのようにサラダに入れたり、サンドイッチにはさんでも。

甘酢れんこん

にんじんのドレッシング漬け

にんじんのドレッシング漬け

そのままでも、サラダに添えても。鮮やかな赤色は料理の引き立て役。

材料

にんじん……200g
塩……小さじ½
サラダ油……大さじ6
酢……大さじ2
砂糖……大さじ1

①にんじんを斜めに薄切りし、さらにごく細いせん切りにする。

②ボールの中で調味料と合わせ、にんじんがしんなりしてきたら、びんなどに移して冷蔵庫へ。

にんじんの甘酢煮

にんじん200gは短冊、輪切り、花型など好みの形に切り、一度茹でこぼしてから砂糖小さじ2杯、塩小さじ⅓杯、酢大さじ1⅓杯でさっと煮てそのまま冷ます。

●肉や魚料理のさっぱりとしたつけ合わせに、ちらしずしやおべんとうの彩りに。

小魚・海藻・乾物料理

食卓に「小魚、海藻、乾物がいつでもある」そんな暮らしにしたいものです。ことに幼児のいる家庭では、少量ずつでも食卓にのぼる回数が増えれば、自然に味わって食べるようになるでしょう。見かけは地味ですが、栄養豊富、素朴なおいしさがあります。語り伝えたい味です。

栄養メモ

海藻は85％の水分を含みます。主要成分は糖質、たんぱく質および無機質で、特にカルシウム、ヨウソ、鉄などのよい給源です。海藻の特徴は、香り、歯ざわりにあります。わかめのクロロフィルは長時間、酸にひたしたり、加熱すると色が悪くなります。食べる寸前に用いるようにしましょう。

（岡崎光子）

小魚

わかさぎの香り揚げ

わかさぎの香り揚げ

骨まで食べられるわかさぎにごま衣をつけて。お腹の切れていない新しいものを見つけたらぜひ食卓に。

材料

- わかさぎ……200g
- 下味　酒、醤油……各小さじ1
- 衣
  - 卵白……1個分
  - 塩……小さじ1/3
  - いりごま(白)……大さじ2
  - パセリ(みじん切り)……大さじ2
- 小麦粉　揚げ油

①わかさぎは塩水でさっと洗い、水けを拭き、下味をまぶしておく。

②ボールに卵白と塩をときほぐし、ごまとパセリを加えてまぜておく。

③わかさぎの汁けをふいて薄く粉をつけ、②の衣をくぐらせ、180℃の揚げ油でカラリと揚げる。

●大人にはレモンを添えて。

じゃこピーマン

材料

- ピーマン(縦に細切り)……1袋
- じゃこ(水洗いする)……10～20g
- サラダ油……大さじ2
- 砂糖、酒、醤油……各大さじ1

鍋にサラダ油を熱してピーマンを炒め、水けをきったじゃこを加え、砂糖、酒、醤油で調味し、汁けがなくなるまで炒りつける。

ちりめんじゃこの佃煮

材料

- ちりめんじゃこ……50g
- 白ごま(いって切る)……大さじ1
- 醤油・みりん……各大さじ1

鍋に調味料を煮立て、じゃこを入れ、少し汁けが残る程度に炒り煮する。ごまをふりかける。

大根葉とじゃこの炒め煮

細かく刻んだ大根葉を強火で炒めて（サラダ油またはごま油）水けをとばす。じゃこを加えてさらに炒め、酒と醤油で味をつける。最後にいりごまをふる。

ふりかけ

手元にある材料をとり合わせて自家製のふりかけをどうぞ。

小魚のふりかけ

煮干し（頭と腹を除く）、じゃこ、サクラエビなどをとり合わせて、からいりする。カツオ節も加えてミキサーかすり鉢で細かくして、仕上げにいりごま、青のりを加え、塩で味をととのえる。

大根葉としらすのふりかけ

①大根葉（またはかぶの葉）は茎からしごきとり、さっと茹でて細かく刻み、水けをきつくしぼる。

②しらす干しは湯を通し、焦がさないようにからいりする。

③①の葉を弱火でからいりし、さらさらになったら、しらす干し、塩、いりごまと合わせる。

しらす干し・じゃこの扱い

雑菌の多い食品です。熱湯を通す、またはかるくいってから使います。保存は冷凍庫で。

海藻

わかめとしらす干しの卵とじ

材料

わかめ（塩蔵・2cm長さに切る）……50g
しらす干し（湯通し）……大さじ4
卵（ときほぐす）……2個
だし……カップ1
醤油……大さじ1
砂糖……小さじ2

①わかめは塩を洗い流して、水けをしぼる。

②鍋にだしと調味料を煮立て、わかめとしらす干しを入れて2〜3分煮、卵をまわしかけてとじる。たっぷりと盛りつけて食卓へ。

わかめと豆腐のサラダ

わかめと豆腐のサラダ

材料

わかめ（塩蔵・2cm長さに切る）……40g
もめん豆腐（かるく水きり・1cm角切り）……1/2丁
ミニトマト（薄切り）……適宜
ドレッシング
塩小さじ1/3／砂糖小さじ1／酢、醤油各大さじ1／サラダ油大さじ4

①わかめは塩を洗い流して熱湯をかけ、水けをきっておく。

②ドレッシングをつくり、すべての材料と和える。

ひじきと錦糸卵の酢のもの

材料

芽ひじき（乾）……20g
酢・醤油……各大さじ1 1/2
砂糖……小さじ1/3
卵……1個
砂糖……小さじ1
塩……少々

①ひじきは水でもどし、熱湯でさっと茹でて水けをきり、酢、醤油、砂糖を合わせて和えておく。

②薄焼き卵をつくって（69頁）細く切りひじきと和える。

●きゅうりのせん切り、さいた蒸しどり（82頁）などを加えても。

ひじきの煮もの

材料

ひじき（乾）……40g
サラダ油……大さじ1 1/2
にんじん（3cmのせん切り）1/2本
油揚げ（油ぬきして細切り）2枚
だし……カップ1
Ⓐ 醤油大さじ2／砂糖大さじ1 1/2／酒大さじ1

①鍋に油を熱して水で10〜20分もどし、適当な長さに切ったひじきをよく炒め、油がまわったら他の材料とだし、Ⓐを入れる。

②中火で煮汁がほとんどなくなるまで煮含める。

●味は薄めなので冷蔵庫で保存。2〜3日はおいしく食べられる。

ひじきのマリネ

ひじきは煮ものばかりでなく、サラダや和えものにも。冷蔵庫で3〜4日おけます。

材料

ひじき（乾）……30g
マリネ液
酢、醤油各大さじ1／砂糖大さじ1/2／サラダ油大さじ3

ひじきは水でもどしてさっと茹で、水けをきって適当に切る。よくま

すき昆布と厚揚げの煮もの

ぜ合わせたマリネ液と合わせる。

●トマト、きゅうり、セロリ、レタス、ひと塩大根などの生野菜ととり合わせてサラダに。

すき昆布と厚揚げの煮もの

材料

- すき昆布……1枚
- 厚揚げ（湯通しし、縦半分にし1cm幅に切る）……1枚
- だし……カップ1½
- 醤油……大さじ3
- 砂糖……大さじ2

①すき昆布を水にひたし、手でほぐしながら洗ってざるにとり、食べやすい長さに切る。

②鍋にだしと調味料を入れ、煮立ったところへすき昆布と厚揚げを入れ中火の弱で20分ほど、途中鍋返ししながら煮含める。

おぼろのおつゆ

お湯をさすだけでできる簡単な汁もの。

お椀におぼろ昆布ひとつまみと、梅干しなど好みの量を加え、熱湯を注ぐ。

梅干しのかわりに塩昆布を入れてもよい。茹でた青菜があればとり合わせて。

乾物

切り干し大根とツナの煮もの

切り干し大根とツナの煮もの

材料

- 切り干し大根……50g
- ツナ……小1缶
- だし……カップ1½
- 醤油……大さじ1
- 砂糖……大さじ1

①切り干し大根はよく洗ってからひたひたの水に10～20分つけてもどし水けをしぼって食べやすい長さに切る。

②鍋にだしと調味料を入れ、煮立ったところへ切り干し大根と油をきったツナを入れ中火で15分煮る。

切り干し大根のハリハリ漬け

材料

- 切り干し大根……50g
- にんじん（せん切り）……50g
- いり白ごま……大さじ1
- 切り昆布……少々
- 酢……大さじ3
- 醤油……大さじ1
- 砂糖……大さじ1
- みりん……大さじ2

①切り干し大根を洗って10分水につけてもどしておく。長ければ短かく切っておく。

②切り昆布もさっと水洗いをする。

③鍋の中で調味料と材料を全部まぜ、火にかけひと煮立ちさせて火をとめ、冷めたらビンなどに移す。

高野豆腐のひき肉づめ

材料

- 高野豆腐……3枚
- ｛とりひき肉……80g
- ｛塩、生姜しぼり汁……少々
- 片栗粉……大さじ3
- ｛だし……カップ1½
- ｛塩、醤油……各小さじ1/5
- 揚げ油

①高野豆腐は50℃くらいのたっぷりの湯に入れ、芯まで柔らかくなったら、水の中で両手にはさんでしぼり、白くにごった水が出なくなるまで、水をかえながらくり返す。最後にしっかりしぼる。

②1枚を4枚の三角に切り、包丁の先で厚みに切りこみを入れ、調味料を加えたひき肉をつめる。

③片栗粉をまぶし、中温でひき肉に火が通るまで揚げる。

④調味しただしで静かに5分煮る。

煮干しをいつも手元において

煮干しを買う時は、銀色に光っている新鮮なものを選びます。腹わたと頭をとって鍋でから焼きをしたり、オーブンを使った後の余熱で炒ってビンに入れておくと、おやつや、子どもが一寸ごはんまで待てない時にも便利です。

ごはん・パン・めん料理

よくといでふっくらと炊き上げたごはん、こんがりと焼き上げたパンは、それだけでもおいしいものです。ただ、食べ方には個人差があるもので、おかずばかり食べて主食を食べたがらない場合もあるでしょう。反対に、ごはんやパンならよく食べるけれど、おかずを食べないということもあります。

主食をよく食べる子どもにはごはんとおかずを交互に食べる習慣がつくように。食べられない場合は、形をかえておにぎりに、子どもが大好きな味つけごはん、めん類やサンドイッチにと変化をつけてみましょう。また、実だくさんのスープの中に米やマカロニを加える、ひき肉料理にパン粉を多めにまぜたものなど工夫次第で量を増やすことができます。

このほか、健康のために食物繊維の多い胚芽米や、押し麦をまぜることも。また、安全性の面では、米をといで水加減したあと、炊く直前に水をとりかえると残留農薬が減るといわれます。生めん、茹でめんは品質保持剤がついているので必ず茹でこぼしてから使いましょう。

栄養メモ

穀類には米、麦をはじめそば、キビ、アワなどが含まれます。この中で最近、キビやアワを食べることは少なくなりました。穀類の主要成分はデンプンで、平均90%前後含まれます。たんぱく質は10%前後、脂肪は2%前後と少なくなります。デンプン以外の成分は、胚芽の部分に多く含まれます。したがって精白米は胚芽米や玄米に比較し、たんぱく質や脂肪その他、ビタミンB_2、Eなどの含有量は少なくなります。しかし、精白米は玄米よりも消化率はよいものです。胚芽精米も出まわっていますので、ときには使用してみましょう。穀類を主食として用いるときは、濃い味つけをしない方がよいでしょう。味のついたおかずを食べたあと、主食を食べると、口の中の味をぬぐい、次にまたおかずをおいしく食べさせる役目をはたしますので。穀類の特徴は、なんといってもエネルギー源となることです。主食から必要エネルギー量の50～60%を摂取することが望ましいのです。したがって雑炊のように米の量が少なく、水分量の多い主食のときには、摂取量に注意しましょう。しかし、主食は子どもの食欲や一日の活動状況により、臨機応変に量を調節してかまいません。無理に口の中に押しこむようなことは、やめましょう。

（岡﨑光子）

肉も野菜も一緒にとれるごはんもの

肉や魚と野菜が一緒に食べられるごはんものは、子どもたちの好物。苦手な野菜もいつの間にか食べられます。ルーや、炊きこみごはんの具は、手間がかかるので2回分まとめてつくり、冷凍しておくことをおすすめします。

ひき肉カレー

材料

- 合びき肉……300g
- 玉ねぎ(みじん切り)……1個
- にんにく(みじん切り)……1片
- にんじん(粗みじん切り)……50g
- セロリ(粗みじん切り)……½本
- なす……2個
- りんご……½個
- トマト……1個
- ピーマン……2個
- 干し椎茸……もどして3枚
- (なす〜干し椎茸は1cmの角切り)
- カレー粉……大さじ1½
- 小麦粉……大さじ4
- スープの素……1個
- 水……カップ2
- トマトケチャップ……大さじ1
- ウスターソース……少々
- サラダ油……大さじ2／塩

①厚手の鍋を熱し、サラダ油を入れて、玉ねぎとにんにくをよく炒める。

②玉ねぎの量が半分くらいになったらひき肉を加えて炒め、肉の色がかわったらその他の野菜とりんごを加えてさらに炒める。

③カレー粉、小麦粉をふり入れてまぜ、スープの素、ケチャップ、水を入れて弱火で煮る。

④最後にウスターソース、塩で味をととのえる。

ツナのローズソースかけ

キャロットライスにピンク色のソースをかけた子ども向きのひと皿。

材料

- ツナ缶……大1缶(165g)
- 玉ねぎ(粗みじん切り)……大1個
- にんにく(粗みじん切り)……1片
- バター、サラダ油……各大さじ2
- 小麦粉……大さじ4
- 牛乳……カップ4
- 生椎茸(1cm角切り)……50g
- トマトケチャップ……大さじ6
- 塩……小さじ½
- スープの素……1個
- パセリ(またはグリンピース)……少々

①厚手の鍋にバターを入れて、にんにく、玉ねぎをよく炒め、サラダ油を加えて小麦粉をふり入れて炒める。

②粉によく火が通ったら、牛乳を少しずつ注いでゆるめ、弱火にして10分煮る。とろりとしてきたら生椎茸と油をきったツナを入れ、スープの素、トマトケチャップ、塩で味をととのえる。

③キャロットライスの上にかけてからパセリのみじん切りを散らす。

ツナのローズソースかけ

キャロットライス

材料

- 米……カップ3
- 玉ねぎ(粗みじん切り)……50g
- にんじん(粗みじん切り)……100g
- バター……大さじ2
- 水(米の2割増し)……720cc
- 塩……小さじ1½

①米は洗ってざるにあげておく。

②鍋にバターを入れ、玉ねぎ、にんじんを炒める。つづいて米を入れ、鍋底につきはじめ、すき通ってくるまで炒める。

③炊飯器に移し、水と塩を入れ、炊き上げる。

ハヤシライス

ハヤシライス

材料

- ブラウンソース
  - バター……大さじ2
  - 小麦粉……大さじ4
  - スープ(スープの素1個)……カップ2
- トマト水煮(刻んでおく)1缶
- 牛肉薄切り(5〜6cmに切る)……300g
- 小麦粉少々／サラダ油大さじ2
- にんにく(みじん切り)……1片
- 玉ねぎ(4つ割りにして横に薄切り)……大1個
- じゃが芋(ひと口大の乱切り)……300g
- にんじん(小さめの乱切り)……100g
- ウスターソース……小さじ2
- トマトケチャップ……小さじ2
- 醤油……小さじ1
- 小麦粉　塩　こしょう

①厚手の鍋にバターをとかし、弱火で小麦粉が褐色になるまでよく炒め、スープ、トマトの水煮を汁ごと入れてソースをつくる。
②肉に塩、こしょうし、小麦粉をまぶしてフライパンでさっと炒め（油大さじ1）、ソースの鍋に入れる。
③再びフライパンに大さじ1の油を入れ、にんにく、玉ねぎの順によく炒め、ソースに加える。
④にんじん、じゃが芋もソースに加えて煮、柔らかくなったらウスターソース、トマトケチャップ、塩、醤油で味をととのえる。

ポテト入りカレーピラフ

ポテト入りカレーピラフ

材料

米（洗ってざるに上げる）……カップ3
豚肉薄切り……200g
塩……少々
玉ねぎ（粗みじん切り）……½個
にんじん（1cm角の薄切り）……⅓本
じゃが芋（1cmの角切り）……2個
サラダ油……大さじ2
カレー粉……小さじ2
スープ（スープの素1個）……カップ3
塩……小さじ1
卵（茹でる）……2個

①薄切り肉を2cm幅に切り、塩をふっておく。
②厚手の鍋にサラダ油を熱し、肉を炒め、色がかわったら玉ねぎ、にんじん、じゃが芋の順に加え、最後にカレー粉を入れて炒める。
③炊飯器に②の具、米、スープ、塩を入れ、スイッチを入れて炊き上げる。
④茹で卵を黄みと白みに分けて刻み、ピラフの上に飾る。
●好みでレーズンを入れてもよい。

中華ちまき

中華ちまき

多めにつくって冷凍しておくと、解凍すればそのまま食べられるので急な外出にも便利です。

材料

もち米……カップ3
豚肉（薄切り、かたまりでも）……250g
にんじん……100g
筍……60g
干し椎茸（もどす）……4～5枚
サラダ油……大さじ2½
酒、醤油……各大さじ3
塩……小さじ½
砂糖……大さじ1
竹の皮（葉らん、アルミホイルでも）……20枚

①米は洗ってざるにあげておく。
②豚肉、にんじん、筍、椎茸は1cm弱の角切りに。
③中華鍋に油を熱し、椎茸、筍、肉の順に炒め、酒、砂糖、醤油、塩で調味する。
④米とにんじんを加え、椎茸のもどし汁と水で1½カップにして注ぎ、かきまぜながら強火で米が水分を吸い上げるまで炒める。
⑤等分に（約大さじ山2杯）に分けて竹の皮などで包み、湯気の上がった蒸し器に入れ、強火で25分ほど蒸す。

炊きこみおこわ

米ともち米を半々にし、ちまきの材料を使い、手順は③まで同じ。炒めた具と米、にんじん、560ccの水分を炊飯器に入れて炊き上げる。
●さつま芋、栗、枝豆、グリンピースごはんは素材の色を生かして塩味で。

炊きこみごはん

炊きこみごはん

5種類の具を米と同じくらいたっぷり入れて炊き上げます。

材料

米……カップ3
水｛酒大さじ1、具の煮汁、醤油大さじ2、塩小さじ½｝合わせて米の2割増……720cc
とり肉（小さくそぎ切り）……150g
油揚げ（湯通し細切り）……1枚
にんじん（短めのせん切り）……50g
ごぼう（せん切りにしてあくぬき）……½本
干し椎茸（もどしてせん切り）……3～4枚
｛醤油……大さじ1
砂糖……大さじ1
椎茸のもどし汁……大さじ3｝

①とり肉、油揚げ、野菜を調味料で下煮しておく。
②米を洗い、水加減をして塩を入れ、具を加えて炊く。炊き上がったら蒸らしてまぜる。

肉も野菜も一緒にとれるごはんもの

小さいおにぎり

お箸を使い慣れないうちは、ごはんを小さくにぎり、まずはひとりで食べるきっかけをつくるのもいいことです。

3歳児ぐらいに与えるおにぎりは、片手で、ひとまとめになる大きさ（100ｇのごはんを3～4つににぎる）です。また、芯に具を入れるより、ごはんにまぜてにぎった方が食べやすく、見た目もたのしげです。

具のバリエーション

炒り卵と青のり／しらす干しといりごま／プロセスチーズとゆかり／サケとのり／ひき肉そぼろ／魚のそぼろ／刻み青菜（茹）とタラコ／梅干しとカツオ節など。

巻いて食べる

肉そぼろ、魚のそぼろや、炒り卵をごはんにまぜ入れたのり巻きも食べやすい。「細巻き」にし、ひと口で食べられる長さに切って盛りつける。

●青菜のおひたし、きゅうりのせん切りなど、一緒に青みを巻いてもよい。

昼食に即席丼

前日のおかずを多めにつくって、お昼は簡単な丼ものに。ごはんにのせてあたため直すだけでよいものばかりです。くりまわしの腕を上げて。

●とりの香味焼き　（78頁）
●肉だんごの酢豚風　（74頁）
●かき揚げ　（90頁）
●魚のそぼろで三色丼　（91頁）
●炒り豆腐　（93頁）
●五目マーボー豆腐　（93頁）
●ひじきの煮もの（113頁）の卵とじ
●五目卵とじ
（だしは$1\frac{1}{2}$カップに……69頁）

常備菜を添えれば食卓も豊かに。

おすし

つやよく炊き上がった酢めしに好みの具を合わせて巻きずし、五目まぜずしに。また酢めしと具を卓上に用意してそれぞれで巻いて食べる手巻きずしもたのしみなものです。

①米は30分前にとぎ、ざるに上げて水けをきってから炊き上げる。

②酢、砂糖、塩を合わせ、よくまぜておく。

材料

酢めしの基本

米……カップ3
水（酒大さじ2杯を入れて）……カップ3
合わせ酢
　酢（米の約1割）……カップ$\frac{1}{3}$
　砂糖……大さじ$1\frac{1}{2}$
　塩（砂糖の$\frac{1}{2}$）……小さじ2

③ごはんをすし桶などへ移し、合わせ酢を注ぎ、しゃもじで切るようにまぜて広げる。

④うちわであおぎ、人肌の温度まで急いで冷まし、つやを出す。

⑤酢めしのあたたかみがあるうちに好みの具とまぜ合わせる。

●合わせ酢の砂糖は、まぜる具によって加減する。

●あとで合わせ酢を加えるので米の水加減は同量に。

まぜずしの具いろいろ

椎茸の含め煮、にんじん甘酢煮（111頁）、甘酢れんこん（111頁）、錦糸卵、ひじきの煮もの（113頁）、茹でさやえんどう、しらす干し（さっと湯通し）、魚のそぼろ（91頁）などをとり合わせて。

三色ごはん

具は食べやすくごはんにまぜて。

材料

牛そぼろ
　牛ひき肉……100ｇ
　生姜（みじん切り、さらして辛味をぬく）……少々
　Ⓐ
　　醤油大さじ2
　　砂糖大さじ1／みりん、酒各大さじ$\frac{1}{2}$／水大さじ2
炒り卵
　卵……2個
　砂糖……小さじ2
　塩……少々
絹さや……12枚
梅酢漬け生姜……少々
ごはん……600～700ｇ

①小鍋にⒶの調味料と生姜を入れて煮立たせ、ひき肉を加えて炒りつける（菜箸3～4本を使ってまぜるとよい）。

②卵に砂糖と塩を加えて、炒り卵をつくる。

③絹さやは色よく茹でてせん切り。

④ごはんを3等分して、三色の具をまぜて盛り合わせ、好みでせん切りの梅酢漬け生姜を飾る。

三色ごはん

残りごはんを利用して

チャーハン

具は焼き豚や蒸しどり、椎茸、しめじ、いんげん、ピーマンなど、とり合わせはいろいろにできます。

材料

- ごはん……500g(約3膳)
- ちくわ(小口切り)……小2本
- ウインナー(小口切り)……3本
- 長ねぎ(小口切り)……10cm
- にんじん(せん切り)……2cm
- 卵……1個
- 塩、こしょう……各少々
- サラダ油……大さじ2
- 醤油……大さじ½

①中華鍋に油大さじ1杯を熱し、とき卵に塩を加えて流し、大きくまぜてふんわりとした炒り卵をつくりとり出す。

②油大さじ1杯を入れてごはん以外の材料を炒め合わせる。

③最後にごはんをほぐしながら加えてざっとまぜ、卵を戻しよく炒まったら塩、こしょう、醤油で調味し仕上げる。

●ちくわやかまぼこなどのねり製品、ウィンナーなどの加工食品は、添加物の問題の大きいものでしたが、最近は安全性の高いものも入手できるようになりましたから、注意して品物を選びましょう。それでも心配なものは、一度茹でこぼしてから使います。

リゾット

材料

- ごはん……約300g
- スープ(スープの素1個)……カップ3½
- ささみ……3本
- 玉ねぎ(薄切り)……小1個
- トマト(皮をむきざく切り)……1個
- マッシュルーム……5～6個
- パセリ(みじん切り)……少々
- 塩……小さじ½

①ささみはすじをとって、そぎ切りに。マッシュルームは薄切りに。

②スープに玉ねぎを加え、火にかけて3分ほど煮、ささみを加え、あくを除き、マッシュルーム、トマトの順に入れてひと煮する。

③ごはんをほぐし入れて煮、塩で味をととのえパセリをふる。

リゾット

パン・粉を使って

サンドイッチ

食パン、バターロール、丸パンなどを使って家庭ならではのサンドイッチを。バターをぬり、たんぱく質源、野菜、乳製品などを組み合わせはさみます。バターは具の水分をパンにしみこませず味を一定に保ちます。ふだんは、食パンのみみをつけたままでも、ひと口大に切れば食べやすいもの。ロールサンドは、ラップで包み、しばらくなじませます。

具のバリエーション

●刻み茹で卵、ほうれん草をマヨネーズで和える。

●刻み茹でほうれん草をクリームチーズ和えに。

●ドライカレー(76頁)水どき片栗粉でとろみをつけても。

●おろしにんじんの水けをきり、カッテージチーズとマヨネーズで。

●蒸しどりと、せん切りにして塩もみしたキャベツ、にんじん、きゅうりをマヨネーズで和える。

●ピーナッツバターとフルーツ、はちみつ少々を加えても。

サンドイッチ

お好み焼き

写真76頁

卵を多めにし口あたりを柔らかく。

材料

- Ⓐ
  - 卵……2個
  - 水……カップ1½
  - 小麦粉……カップ1½
- ひき肉……100g
- 玉ねぎ(みじん)……½個
  (ひき肉・玉ねぎは炒める・76頁)
- キャベツ(せん切り)……250g
- 桜エビ(乾・粗みじん)……大さじ3
- サラダ油　青のり　ウスターソース　マヨネーズ

①Ⓐをまぜてたねをつくる。

②たねに材料をまぜ合わせ、油を熱したフライパンで焼く。

③食卓で青のりをかけ、ウスターソース、マヨネーズで加減しながら味つけする。

●じゃが芋2個をすりおろし、卵1個、塩小さじ⅓、水カップ½、粉カップ¾を合わせて焼く「お焼き」もおいしい。このときは味噌少々をぬって、炒め野菜を巻く。

具だくさんのめん料理

ツルツル！　とのどごしがよいめん料理も、子どもが喜ぶ主食です。申しわけ程度になりがちな野菜や肉を、たっぷり入れることがポイント。長いめんは、茹でる前に2つ折りにすると幼児には食べやすくなります。

マカロニナポリタン

材料

マカロニ(乾)……300g
ひき肉……150g
玉ねぎ……½個
ピーマン(1cm角切り)……2個
マッシュルーム(1cm角切り)……3個
スープ(スープの素¼個)……カップ¼
トマトピューレ……大さじ2
トマトケチャップ……大さじ2
塩……小さじ1
プロセスチーズ(5mm角切り)……60g

①マカロニは茹でる。
②玉ねぎとひき肉を炒め、ピーマン、マッシュルームも炒め、スープを注いで、マカロニを加え、トマトピューレ、トマトケチャップ、塩で調味し、チーズをまぜる。

ソース焼きそば

材料

中華蒸しめん……3玉
サラダ油……大さじ1
豚薄切り肉(細切り)……100g
サラダ油……大さじ2
キャベツ(ざく切り)……3枚
玉ねぎ(薄切り)……1個
もやし……100g
桜エビ(乾)……大さじ2
塩……小さじ⅓
こしょう……少々
ウスターソース……大さじ3
トマトケチャップ……大さじ1
青のり……少々

①中華鍋に油大さじ2杯を熱し、肉を炒め、玉ねぎ、キャベツ、もやし、桜エビの順に炒め、塩、こしょうで調味しとり出す。
②油大さじ1杯をたし、めんをほぐしながら加えて炒め、①をもどしてウスターソース、トマトケチャップで調味する。
③器に盛り、青のりをふる。
●にんじん、椎茸、チンゲン菜を加えても。エビ、イカにかえても。大人にはカキ油と醤油で調味し、紅生姜を刻んで添える。

同じ具でつくるうどん二種

調理法で変化をつけて——。

煮こみうどん

材料

茹でうどん……3玉
とりもも肉(ひと口大そぎ切り)……100g
ちくわ(斜め切り)……小3本
しめじ(小房に分ける)……100g
ほうれん草(茹でて切る)……100g
長ねぎ(斜め薄切り)……20cm

煮こみうどん
とり肉はさっと湯がいておく。鍋にだしカップ5、醤油大さじ3、みりん大さじ2、酒大さじ1杯を入れて煮立てる。とり、しめじ、うどんを入れて2〜3分、残りの具を加えてひと煮する。
●てんぷらを入れたり、卵を落としても。

焼きうどん
中華鍋に油大さじ1杯を熱して、ほうれん草以外の具を炒め、さらに油を大さじ1杯をたしてうどんを加える。醤油大さじ2½、酒大さじ1杯を入れ、仕上げにほうれん草を加えて炒める。

具入りそうめん

具入りそうめん

材料

そうめん(乾)……300g
干し椎茸(ひたひたの水でもどす)……3枚
{醤油大さじ2／みりん、酒各大さじ1／砂糖大さじ1½}
油揚げ(油ぬきしせん切り)……1枚
錦糸卵……卵1個分
きゅうり(せん切り)……1本
めんつゆ
{だしカップ3／醤油大さじ5／みりん大さじ3}

①干し椎茸は石づきをとり、つけ汁ごと鍋に入れ、調味料で丸のまま煮含め、せん切りする。
②油揚げは、残った椎茸の煮汁でさっと煮含める。
③めんつゆの材料を合わせて煮立て、冷ましておく。
④そうめんを茹で、具と一緒に盛り合わせて、めんつゆを注ぐ。

おやつ

お母さんが台所に立っている姿、家中にただようおいしそうな香り…。子どもにとっておやつはたのしみな、待ち遠しい時間です。ここにご紹介するものは、どれも手に入りやすい材料を使い、簡単にできるものばかりを集めました。気軽にくり返しおつくりください。

家庭では甘みをおさえ、香料もできるだけ加えません。また、子どもが市販のお菓子のきつい香料や甘みの強さに慣れないように。おやつのとり合わせは44頁をご覧ください。

粉を使って簡単に

蒸しパン

蒸しパン

手順を覚え、準備万端ととのえてからとりかかると、短時間ででき仕上がりも上々です。

材料 5〜6個分

- 薄力粉……100g
- ベーキングパウダー……小さじ1½
- 牛乳……90cc
- 砂糖……大さじ4
- 塩……ひとつまみ
- チーズ（賽の目切り）……20g
- かぼちゃ（賽の目・茹でる）……20g

①粉とベーキングパウダーを合わせてふるっておく。

②砂糖と塩を牛乳で煮とかして冷まし、①の粉を加えてさっくりまぜ、かぼちゃとチーズを加えて手早くまぜ合わせる。

③大さじ山1杯を目安にパラフィン紙を敷いた型に（2倍近くふくらむ）たねを入れ、充分に湯気の上がった蒸し器に並べる。

④布巾をかませて蓋をし、強火のまま約12分蒸し、中心に竹串をさし、たねがついてこなければでき上がり。

- 途中で蓋を開けないこと。
- ベーキングパウダーの入ったたねは長くおくとガスがぬけてふくらみが悪くなるので、すぐに蒸せるように注意。

いろいろな蒸しパン

中に入れる野菜やくだもののとり合わせで変化をつけます。分量は1単位につき30〜40g見当。どれも小さな賽の目切りにします。

- レーズン（ぬるま湯で洗う）
- ミックスベジタブル（下茹で）
- さつま芋（下茹で）とりんご
- チョコチップ

栄養メモ

くだもの 栄養価は、水分を80％以上含む物が多く、たんぱく質や脂肪は少なく、糖質、無機質（カリウム、ナトリウム、カルシウム）、ビタミン類（ビタミンC、Aなど）、食物繊維に富んでいます。くだものはおいしく、食べやすいので野菜のかわりに食べることもありますが、多量食べると当然、エネルギー量も多くなります。特にバナナ、パインアップル、ぶどうのように糖質の多いものは、与えすぎないようにしましょう。ビタミンCの多いものはグァバ、キウィフルーツ、いちご、かき、ネーブルオレンジなどです。

（岡崎光子）

粉を使って簡単に

ホットケーキ

小さめに焼き上げ、できたてを子どもに。

材料　8〜10cm 4〜5枚

薄力粉……100g
ベーキングパウダー……小さじ1
卵……1個
砂糖……大さじ2
牛乳……カップ½
バニラエッセンス……少々
シロップ
〈三温糖大さじ4／水大さじ3〉
バター　サラダ油

①シロップの材料を合わせて一度煮立てておく。
②粉とベーキングパウダーを合わせてふるう。
③油けのないきれいなボールに卵を入れ、ときほぐしたら砂糖を加えぽってりするまでよく泡立てる。
④牛乳、エッセンスを加え、さらに粉をさっくりまぜる。
⑤フライパンを中火にかけ、油をひき、たねを玉じゃくしで流し入れる。蓋をして弱火にし、ポツポツと穴があいたら裏返し、蓋をとったまま焼き上げる。
⑥あつあつにバターをぬり、シロップをかける。
●何枚も焼くときには、フライパンを一度冷やしてから火にかけ直すときれいな焼き色に。

型ぬきクッキー

型ぬきは子どもにまかせ、クッキーの焼けるのを一緒に眺めたり……。バターと砂糖をよくねることがおいしさのポイント。

材料　〈天板3枚分　40〜50枚〉

薄力粉(ふるう)……200g
バター(室温にもどす)……70g
砂糖……50g
卵……大1個

①ボールにバターと砂糖を入れ、泡立器でふんわりと白っぽくなるまで泡立てる。
②卵をほぐし、加えてまぜ、粉を3回くらいに分けて入れ、さっくりとまぜ合わせる。
③のし板（まな板でもよい）に、薄く粉をふり、その上に生地をとり出して、めん棒で3mm厚さにのし、好みの型で型ぬきする。油を薄くひいた天板に並べ、とき卵(分量外)でてりをぬる。
④170℃のオーブンで12〜15分焼く。
●たねのでき上がりが柔らかすぎたときは、ビニール袋にたねを入れ、しわがよらないように上からのし棒でのす。それから冷蔵庫か、冷凍庫へしばらく入れる。固くなってから、ビニールの端を切り開き、型をぬく。

型ぬきクッキー

加える材料で変化をつけて

ごま、コーンフレークス、レーズン、プラム、干しあんずなどは粉の20%まで、くるみ、アーモンド、ピーナツなどのナッツ類は粉の30%ぐらいまでがおいしいでしょう。

アイスボックスクッキー

バターがたくさんでサクサクと口あたりのよいクッキー。型ぬきには向きませんが冷やしかためて包丁で切って焼くので手軽です。

材料　〈直径3cm　約40枚〉

薄力粉(ふるう)……200g
バター(室温にもどす)……100g
砂糖……80g
卵……1個

①ボールの中でバターをなめらかにして砂糖を加え、ホイップした生クリームのようになるまでよくまぜる。
②卵を加えてよくまぜる。
③粉を2回に分けて入れまぜ、ひとつにまとめる。
④すし用の巻きすの上にラップを広げてたねをおき、巻きながら好みの太さの棒状にまとめ、冷凍庫に1時間くらい入れてかためる。
⑤5mmの厚さに切って、天板に並べ、170℃で15分焼く。

カスタードクリーム

砂糖大さじ4／薄力粉大さじ3
卵1個／牛乳1カップ
砂糖と粉をまぜた中に卵を入れ、さらにまぜてから温めた牛乳をそそぐ。弱火にかけ、しゃもじで底の方からまぜながら煮る。のり状になって煮立ったらでき上がり。

クレープ

甘いものに限らず、肉や野菜をとり合わせて。自分で巻いたり、包んだりと子どもは大喜び。

材料 直径18cm約8枚分

薄力粉(ふるう)……100g
卵……2個
牛乳……カップ1
サラダ油……大さじ1
塩……ひとつまみ

①ボールに粉、卵、塩を入れてしゃもじでよくまぜ、牛乳、サラダ油を入れてときのばし、30分ぬれ布巾をかけてねかせる。
②フライパンを弱火にかけ、薄く油をひき、たねを玉じゃくしで流し入れ、手ばやくフライパンを動かして広げる。約1分、薄く色づいたら返してもう片面もさっと焼く。

包んで食べる具のいろいろ
ドライカレー、蒸しどりとホワイトソース、りんごの甘煮、くだもののヨーグルトあえ、カスタードクリーム(右頁)、チーズと生野菜
●甘いものを包むときはたねに砂糖大さじ1を加えてもよい。

クレープシュゼット
オレンジ100%のジュースに砂糖、バターを少し加えて煮つめ、このソースに焼いたクレープを折りたたんで入れさっと煮る。

クレープの野菜包み

ココアスクエアー

子ども用にココアをひかえて天板に流した焼き菓子。

材料 25×30cmの天板

薄力粉……120g
ココア……大さじ3
ベーキングパウダー……小さじ1
卵……4個
砂糖……120g
サラダ油……カップ1
塩……ひとつまみ
レーズン……100g
くるみ……50g
(シナモン……小さじ1)

①粉、ココア、ベーキングパウダーを合わせてふるっておく。
②レーズンはぬるま湯で洗い、小さく刻んでおく。
③ボールに卵と砂糖を入れて泡立器でよく泡立て、塩、サラダ油を加えてさらにまぜる。
④③にレーズン、粉を加えてさっくりまぜ、紙を敷いた天板に流し、くるみをのせ、170℃で20分焼く。
●好みでシナモンを入れてもよい。

ココアスクエアー

黒砂糖のくずもち

材料

くず粉……カップ1/2
黒砂糖(刻む)……カップ1/2強
水……カップ1 1/2
きな粉……カップ1/3

①厚手の鍋にきな粉を除いた材料全部を入れ、よくまぜておく。
②中火にかけて木しゃもじでまぜ、煮立ってから約5分ねり続ける。
③透明になったら、バットにきな粉を広げ、一度にあけてスプーンできな粉をまぶして切り分ける。

ごはんが残ったら にら入りお焼き

材料

冷やごはん……300g
小麦粉……大さじ1
にら(1cm長さに切る)……1/2わ(50g)
ちりめんじゃこ……10g
ごま……大さじ1
水(またはとき卵)……適宜
醤油 ごま油……各適宜

あんは簡単につくれます

甘さひかえめのわが家のあんをつくって、クレープやホットケーキ、白玉だんご、あんみつなどに。

つぶしあん (でき上がり500g)
小豆(乾)150g(カップ1)/砂糖120g/塩小さじ1/4
小豆を洗い4~5倍の水で煮る。煮立ってあくが出たらざるにあげ煮汁をすて、再び3倍の水で柔らかくなるまで煮る。砂糖を加え、中火でしゃもじでつぶすように練り、塩を加える。

野菜をつかったあん
どちらも材料を柔らかく茹で、砂糖を加えて練ります。
●さつま芋あん
さつま芋100g/砂糖大さじ2
●かぼちゃあん
かぼちゃ(皮を除いた正味)300g/砂糖大さじ2

①ボールにごはん、にら、小麦粉、醤油を入れ、水を入れてよくまぜ、じゃこ、ごまをさっとまぜる。
②フライパンにごま油を熱し、食べやすい大きさに平らにのばし入れ、中まで火が通るまで弱火で両面をこんがりと焼く。
●仕上げに練り味噌をぬっても、サクラエビ、青菜の漬けものを入れてもよい。

一つのたねでつくるケーキ

バタースポンジ

お母さんがつくるケーキは、子どもにとって何よりもうれしくておいしいおやつです。
ここではあまりぜいたくではなく、つくりやすく、しかもできるだけ応用のきくたねを基本の配合としてご紹介しました。

基本の配合

直径18cmの丸型

— 材料 —

卵……中3個(200g)
砂糖……100〜120g
薄力粉(ふるう)……120g
バター(サラダ油でも)……30g

①焼き型の内側にバターをぬり、粉を薄くまぶしておく（紙を敷いてもよい）。
②ボールに卵をほぐしてから砂糖を加えてすくい上げるように泡立てる。ふんわりと盛り上がり、泡で一重丸が書けるほどにする。
③粉を加え、しゃもじでさっくりとまぜ合わせ、とかしバターを加え、手早く合わせる。
④すぐに型に流し入れ、表面を平らにし、型の底をポンとたたいて大きな泡を消し、あたためておいたオーブンに入れる。
⑤160℃で約30分焼き、竹串をさし、生のたねがついてこないのを確かめてとり出す。
⑥型ごと布巾の上などに伏せて10〜15分粗熱をとり、型からはずして網の上で充分冷ます。

いちごのショートケーキ

ショートケーキは何といってもいちごですが、季節によってはキウイ、缶詰の黄桃やあんずなどでも。

材料
生クリーム……200〜300cc
砂糖……20〜30g
いちご

基本のスポンジ台を横半分に切り、泡立てた生クリームをぬってスライスしたいちごをはさむ。好みのデコレーションを。

ロールケーキ

(25×30cmの天板)

基本の配合のバターを入れずに大さじ1杯の牛乳を仕上げにまぜたたねをつくる。紙を敷いた天板に流し、165℃で約15分焼く。焼き上がったら天板からはずして冷まし、紙をはがしとる。はがした紙の上においてジャム、カスタード、生クリームなどをぬり、紙で形をととのえながら巻きこむ。巻き終わりを下にしてなじませる。

レモンケーキ

(パウンド型2本分)

パウンド型に紙を敷いておく。バターを倍量にした基本のたねにレモンのしぼり汁大さじ2杯を加えて焼く。150〜160℃で約40分。

ココアスポンジ

(直径16cmのリング型2本分)

型に薄く油をぬり、粉をまぶしておく。基本のたねの粉にココア大さじ3杯を加えて一緒にふるい入れてつくる。型に流し、165℃で約25分焼く。

アップサイドダウンケーキ

(直径18cmまたは21cmの丸型)

型に紙を敷き、パイン(缶づめ)の水けをふいて並べ、間に干しプラムまたはあんずを彩りにおき、基本のたねを流し入れる。160℃で約40分で焼き上げ、粗熱がとれたら型ごとお皿に伏せてとり出す。

りんごのケーキ

(25〜30cmの天板)

りんご1個をいちょう切りにし、レモン汁とグラニュー糖少々をまぶしておく。バターを倍量にした基本のたねをつくって紙を敷いた天板に流し入れ、手早くりんごをちらす。170℃で15〜20分焼く。こげるようならホイルをかぶせる。

ケーキづくりで注意すること

- 油けのないボール、泡立器を用意する。
- 卵は冷蔵庫から出し、室温にもどしておく。
- とかしバターは熱めの方がまぜやすいので直前につくる。
- オーブンはあらかじめ適温より10℃高めにセットする。

季節の野菜やくだものを使って

キャロットケーキ

すりおろしたにんじんに火を通して水分をとばしておけば、にんじんをたくさん入れてもべたつきません。

材料

パウンド型1本分
またはプリン型8個

- 薄力粉……150g
- ベーキングパウダー……小さじ1
- シナモン……小さじ1
- にんじん……200g
- 卵……2個
- 三温糖……80g
- サラダ油……カップ½
- 塩……小さじ½
- くるみ、レーズン……各30g

①粉類は合わせてふるっておく。
②にんじんはすりおろしてから炒りし、水分を蒸発させ½量にする。
③くるみは薄切りに、レーズンは湯洗いする。
④ボールに卵をといて砂糖を加え、よくまぜる。
⑤サラダ油、塩を加えてまぜ、にんじん、レーズン、くるみを入れ、粉をふるい入れて切るようにさっくりまぜる。
⑥型に流し入れ、170℃のオーブンで約40分焼く(プリン型なら20分)。竹串をさして生の生地がついてこなければ、焼き上がり。

パンプキンチーズタルト

材料

直径21cmのパイ皿

- かぼちゃ……500g
- カッテージチーズ……140g
- 卵……2個
- 砂糖……50g
- ビスケット(甘みの少ないもの)……100g
- バター……40〜60g

①かぼちゃは種と皮をとり、鍋に入れて少量の水で蒸し煮。柔らかくなったら蓋をとって水分を蒸発させてから鍋の中でマッシュして冷ましておく。
②ビスケットをビニール袋に入れ、上からめん棒で細かくくだいてパイ皿にあける。その中にとかしバターを入れてまぜ、ふちまで平均してのばす。
③ボールに卵をときほぐし、カッテージチーズ、砂糖、かぼちゃを加えてよくまぜ、ビスケットを敷いた上に平らにのせる。
④180℃にあたためておいたオーブンで30分焼く。

小松菜の蒸しケーキ

材料

直径18cmのリング型

- 薄力粉……140g
- ベーキングパウダー……大さじ1
- 小松菜……100〜120g
- Ⓐ
  - 卵……2個
  - 砂糖……50g
  - サラダ油……大さじ3
  - ヨーグルト(または牛乳)……50cc
- レーズン(湯でもどす)30〜50g

①粉とベーキングパウダーをふるっておく。
②小松菜は洗って水けをふいてざく切りにし、Ⓐの材料と合わせてミキサーにかける。
③なめらかになったらボールにあけ、レーズンと粉を加えさっくりまぜ合わせ、油をぬった型に流す。
④蒸気の上がった蒸し器に入れ15〜17分蒸す。竹串をさしてたねがつかなければよい。

小松菜の蒸しケーキ

長芋入り小豆菓子

しっとりとした舌ざわりは長芋のおかげ。上品な味の和菓子です。

材料

直径18cmのリング型

- 上新粉……100g
- さらしあん……90g
- ベーキングパウダー……小さじ1
- 卵……3個
- 砂糖……150g
- サラダ油……大さじ2
- 茹で小豆(缶)……カップ½〜1
- 長芋すりおろし……カップ½

①上新粉とさらしあん、ベーキングパウダーを一緒にふるっておく。
②ボールに卵と砂糖をかるく泡立て、サラダ油を加え、粉類をまぜ入れ、長芋と茹で小豆を加える。
③サラダ油をぬった型に流し入れ、湯気の充分上がった蒸し器で30分蒸す。竹串でさして、ぬれていなければよい。
●プリン型を使うと20分ほどで蒸し上がる。
●さらしあんのかわりに薄力粉を使えば、白い生地の、小豆味の少ないものになる。

季節の野菜やくだものを使って

クリームゼリーいちごソースかけ

材料

（プリン型5個）
- 粉ゼラチン……大さじ1
- 水……大さじ3
- 牛乳……カップ1½
- 卵……大1個
- 砂糖……大さじ4
- いちごソース
（いちご70g、砂糖大さじ1）

①ゼラチンを水にふりこみまぜておく。
②ボールに卵をとき、砂糖をまぜ合わせる。
③鍋に牛乳を沸かして火を止め、ゼラチンを入れてとかし、②にまぜ入れる。
④型に入れて冷蔵庫でかためる。
⑤いちごに砂糖をまぶし、フォークでつぶしてソースをつくり、添える。

フルーツゼリー

材料

（プリン型5～6個）
- 粉寒天……1パック（3g）
- 水……カップ2
- 砂糖……カップ1
- レモン汁……½個分
- いちご、甘夏みかんなど（7㎜角切り）合わせてカップ1½

①鍋に寒天を入れ、水を注いで2分ほどおく。
②そのまま火にかけ、煮立たせて砂糖を加え、火からおろして粗熱をとり、レモン汁とくだものを加え、まぜながらとろりとさせ型に流す。冷蔵庫で冷やしてどうぞ。

さつま芋のミルク煮

さつま芋のミルク煮

材料

- さつま芋……1本（200g）
- 砂糖……大さじ2
- 塩……小さじ⅓
- 牛乳……カップ1
- 片栗粉（2倍の水でとく）……小さじ2
- 干しあんず｝（ぬるま湯でもどす）……3個
- レーズン｝……少々
- 砂糖……小さじ1

①さつま芋は皮のままよく洗って1cm厚さの半月切りにし、水にさらす。
②鍋に芋とひたひたの水を加えて火にかけ、ほぼ柔らかくなるまで煮る。
③砂糖、塩で調味し、牛乳を注いで1～2分煮たあと、水どき片栗粉でとろみをつける。
④別鍋でドライフルーツをひたひたの水と砂糖を加えてふっくら煮ておき、③に加える。あんずは煮てから2つ切りにして入れる。

豆腐白玉のフルーツポンチ

豆腐白玉のフルーツポンチ

材料

- 絹ごし豆腐……150g
- 白玉粉……120g
- みつ｛砂糖……カップ1
- 　　｛水……カップ1½
- りんご、みかん、キウイなど……カップ2

①豆腐は布巾に包んで軽く水けをきる。
②小鍋に、砂糖と水を一度煮立たせてみつをつくり、冷ます。
③豆腐と白玉粉をよく練り合わせ、耳たぶくらい（豆腐の水分により固さが変るのでようすをよくみながら豆腐を加える）の固さにする。
④小さく丸めて沸騰湯に次々と入れ、浮き上がってから1分ほどで引き上げ、水にとる。
⑤くだものを適当な大きさに切って白玉と一緒に器に入れ、好みの量のみつを注ぐ。
●黒砂糖でつくると黒みつになる。

ピーチのシャーベット

材料

- 黄桃（缶）……300g（5個）
- 砂糖……大さじ2
- 卵白……2個分
- レモン汁……½個分

①黄桃をミキサーにかけ、砂糖をまぜる。
②卵白をかたく泡立て、黄桃ピュレ、レモン汁を加えて器に入れ、冷凍庫で固める。
●メロン、オレンジ、いちごなどでも。
●ヨーグルトカップ1杯を加えて凍らせればまろやかに。

この本にご指導、ご協力いただいた方々

全国友の会

風間佑子（東京第三友の会）
岡﨑直子（鎌倉友の会）
市毛弘子（カウンセラー）
杵島直美（料理研究家）

一色　玄（大阪市立大学小児科学教室教授）
岡﨑光子（女子栄養短期大学教授）
野間歌子（ライオン歯科衛生研究所　小児歯科医）
増尾　清（消費者問題研究家）
大熊輝雄（国立精神神経センター総長）

表紙イラスト　北條千春
イラスト　倉澤香代
写真　堤　勝雄
装幀・デザイン　川畑博哉

第26刷より「日本人の食事摂取基準（2005年版）」に基づき記載。
なお、この食事摂取基準は、5年ごとに見直されます。

はやね はやおき 四回食

1992年6月30日第1刷発行
2012年10月20日第34刷発行

編　者　婦人之友社編集部
発行所　婦人之友社
〒171-8510東京都豊島区西池袋2-20-16
電　話　(03) 3971-0101㈹
振　替　00130-5-11600
印　刷　東京印書館
製　本　大口製本

●乱丁・落丁はおとりかえいたします。
 ISBN978-4-8292-0144-2

Great Gift and the Wish-Fulfilling Gem

Great Gift and the Wish-Fulfilling Gem

Illustrated by
Terry McSweeney

Dharma Publishing

Jataka Tales Series

Second edition 2010, revised and augmented with guidance for parents and teachers
Cover design by Kando Dorsey

Printed on acid-free paper

Printed in the United States of America by Dharma Press
35788 Hauser Bridge Road, Cazadero, California 95421

9 8 7 6 5 4 3 2 1

Library of Congress Control Number: 2010923152

ISBN 978-0-89800-600-1

www.dharmapublishing.com

Dedicated to children everywhere

Long ago, in the land of India, there lived a man who was the minister of a great king. Everyone paid him respect, for he was a kind and virtuous man, and rich as the god of wealth himself. The minister and his wife had a son whom they dearly loved, named Great Gift.

One day the minister went to town and took his son with him for the first time. In the streets, Great Gift saw many people who were so poor that they had to work like beasts of burden or even steal for their living, and he became deeply distressed.

At first, Great Gift thought of distributing his family's riches to the poor people. Then he realized, "Ordinary riches will not be enough. Only a wish-fulfilling gem could possibly fulfill the needs of so many!" That night he asked his parents for permission to embark on a search for such a rare and marvelous gem.

Wish-fulfilling gems are wondrous jewels that are guarded by powerful nagas, dragons that dwell beneath the lakes and oceans or in far-away realms where human beings dare not go. Since his parents were well aware that no one had ever returned from such a challenging journey, they would not allow Great Gift to undertake the trip.

For six days the boy could not eat or sleep, constantly thinking of the poor people he had seen on the streets. Finally his parents could not bear to see him suffer any longer and agreed to let him go.

Soon afterward, Great Gift joined a caravan of five hundred merchants. Mounted on a camel, he set out to find the wish-fulfilling gem.

After many adventures, Great Gift and the caravan of merchants reached the ocean where they had carpenters build them a fleet of large boats. With these ships they set sail for an island known as the "Fountain of Jewels."

On the island Fountain of Jewels they found the beaches and river-beds glittering with jewels, but none was a wish-fulfilling gem.

Great Gift helped the merchants fill large bags with jewels and load them onto their ships. When the ships were overflowing with treasure, the merchants were very happy and offered to share them with the boy. But Great Gift refused. He was determined to continue his search for the fabulous wish-fulfilling gem. When they reached the next shore, he bade the merchants farewell and went his way alone.

For seven days Great Gift walked through water up to his knees. Seven days more, he walked in water up to his thighs, then seven days longer in water up to his shoulders. After crossing a great mountain, he climbed down into a valley and came to a wide river. Here his way was blocked by snakes coiled around the stem of a golden lotus. They hissed and spat poison at him.

Setting aside all fear, Great Gift sat down and filled his heart with loving-kindness. Soon the snakes felt the power of his love and became very calm. Bowing their heads, they allowed him to pass.

Next, Great Gift came to the land of the hairy man-eating cannibals. Smelling his flesh and blood, the cannibals rushed out to capture him. Once again Great Gift filled his heart with loving-kindness, and his love pacified the cannibals' greed. They calmed down and gathered around him.

When Great Gift told the cannibals about his search for the wish-fulfilling gem, they offered to help. Taking Great Gift on their backs, they flew four hundred miles through the air and set him down in the land of the nagas, the guardians of the magical wish-fulfilling gems.

In the distance Great Gift saw a castle gleaming with precious jewels. As he walked toward it, he found that the castle was protected by rings of water filled with poisonous snakes and guarded by two colossal nagas.

The boy's radiant love calmed the anger of even these fierce beings. The nagas lowered their heads and formed bridges over the water. Great Gift walked across and approached the jeweled castle.

Inside the castle Great Gift met the naga king. "Never before has a human crossed this threshold alive," marveled the naga king. "Tell me, who are you and what is your secret power?"

"Noble King," said the boy, "I am Great Gift, son of a king's minister. In my land many people are miserable and poor. They must steal, beg, or work like animals for their food. I have traveled far to find a wish-fulfilling gem that can help these poor people. If you have such a jewel, I ask you to please give it to me."

The naga replied, "Wish-fulfilling gems are rare and hard to obtain. But you have come a long way, simply to serve others. You are not only brave, but also compassionate and wise. If you stay and teach me for one month, I promise to give you the jewel."

Great Gift agreed and stayed to teach the naga king the power of love and compassion. When the month had ended, the naga king removed the wondrous gem from the crest of his crown and placed it in Great Gift's hands.

Raising the jewel above his head, Great Gift asked it to take him back to where his voyage had begun. Instantly he rose in the air and soared across the ocean. Then the boy made a second wish, and the jewel brought him home.

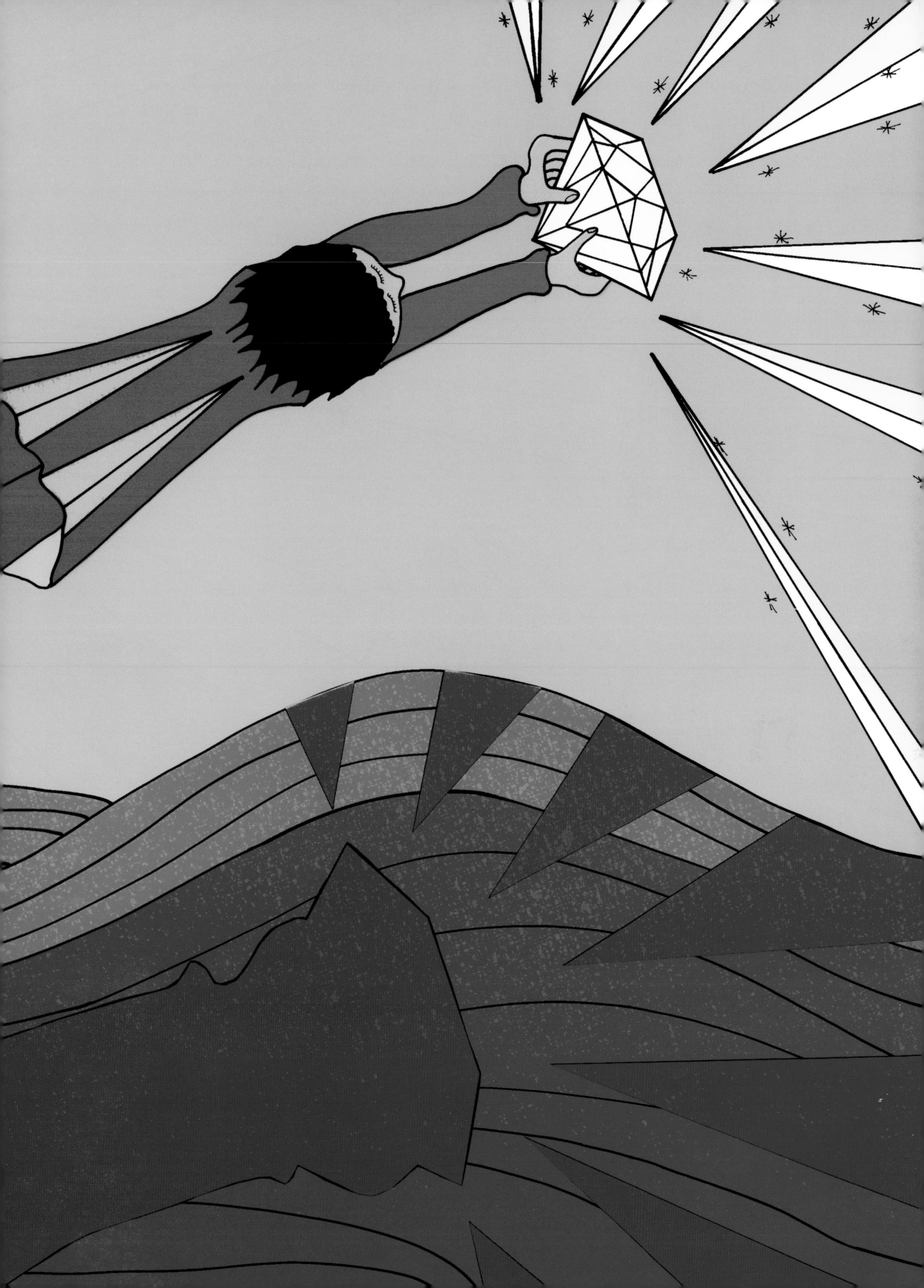

There he found that his parents, fearing their son was lost, had gone blind from grief. Lifting the wish-fulfilling gem to his parent's eyes, Great Gift asked it to restore their sight. His parents were overjoyed to see their child alive and well. "My son," asked his father, "why did you risk your life for this jewel when we already have such great wealth?"

"This jewel has wonderful powers," Great Gift answered. He lifted the jewel again and said, "Many people are poor and desperate. If this is truly a wish-fulfilling gem, let it help them now! Let there be a rain of all that can satisfy their hunger and thirst."

As he spoke these words, winds from the four directions swept over the land and a sweet rain settled the dust. First there fell from the heavens many kinds of food, enough to satisfy the hunger of all beings. Then there rained down clothes and jewels.

Then a huge crowd of people gathered, and Great Gift counseled them how to be happy and live together in harmony. Following his teachings, they were kind and generous to each other for the rest of their lives.

The Jataka Tales nurture in readers young and old an appreciation for values shared by all the world's great traditions. Read aloud, performed and studied for centuries, they communicate universal values such as kindness, forgiveness, compassion, humility, courage, honesty and patience. You can bring these stories alive through the suggestions on these pages. Actively engaging with the stories creates a bridge to the children in your life and opens a dialogue about what brings joy, stability and caring.

Great Gift and the Wish-Fulfilling Gem

A young child of India wishes to alleviate the misery of the poor and embarks on a magical journey in search of a wondrous wish-fulfilling gem. His path leads across desert and ocean, to a jewel-island, a cannibal land, and finally to the realm of the dragon-like nagas, guardians of the world's natural riches. Through his kindness and compassion, he finds the tool to benefit all beings everywhere.

Key Values
Perseverance
Generosity
Courage
Compassion

Bringing the story to life

Engage the children by telling them, "Great Gift, a boy about your own age, leaves his mother and father on an adventure to find a jewel that can grant any wish. Do you think he will find the jewel? What would he wish for? Let's read the story to find out."

- What happens to Great Gift that changes him? How is his reaction like or unlike that of other people you know?
- Why do Great Gift's parents finally give him permission to leave?
- What happens when he and the merchants reach the island called "Fountain of Jewels"?
- How does he overcome the poisonous snakes, cannibals, and nagas?
- How does he use the wish-fulfilling jewel?

Discussion topics and questions can be modified depending on the child's age.

Active reading, active playing

- Before children can read, they enjoy story telling and love growing familiar with the characters and drawings. You can just show them the pictures and tell the story in your own words with characteristic voices for Great Gift, his parents, the cannibals, and the naga king.
- By reading the book to them two or three times and helping them to recognize words, you help young listeners to build a rich vocabulary.
- Have children construct and decorate character masks for Great Gift, a merchant, a cannibal, the serpents, the naga king. They can also borrow an item from a parent to speak in the voice of a mother or father. Act out how Great Gift faces his challenges. Then have children act out a current situation that requires patience and perseverance in working toward a desired goal. Doing so, children may experience how what is worthwhile often comes with obstacles that can be transformed.

Daily activities

- Display the key values of the story on the refrigerator or a bulletin board – at child's eye level – and refer to them in your daily interactions.
- Integrate the wisdom of this story during daily life. Have discussions over dinner or while working around the house. Ask, "What would you do if you had a wish-fulfilling gem? What do you think people need in order to be happy and satisfied?"
- With the child, practice the Great Gift style: sitting quietly, feeling a warm peaceful sun in the center of the body when someone is upset or angry. Also class or home discussion could focus on how being angry at others is like the hissing snakes; how greed and selfishness are like the cannibals, and how anger is like the guardian nagas.
- Find a local group that provides food, shelter, supplies for the homeless or a group in need. Have the children collect canned goods or such, to offer to this group. Find other ways of participating. Or you can locate different groups of these kinds and let the children decide how they would like to be involved. Let them see with "other eyes" the wishes of those in this group who they are helping.

Vocabulary

India: Large country in Asia, and the source of many spiritual traditions and the background of most Jatakas.

Wish-fulfilling gem: A jewel that makes all wishes come true.

Naga: In Indian mythology, dragon like creatures who live under water; nature spirits with a profound influence on the environment**.**

We are grateful for the opportunity to offer the Jataka Tales to you. May they inspire fresh insight into the dynamics of human relationships and may understanding grow with each reading.

This adaptation of a Jataka Tale is for children aged five to ten

JATAKA TALES SERIES

Courageous Captain
The Fish King
A Friend to All
Golden Foot
Great Gift and the Wish-Fulfilling Gem
Heart of Gold
The Hunter and the Quail
The Jewel of Friendship
The King Who Understood Animals
The Magic of Patience
The Monkey King
The Monster of Lotus Lake
The Parrot and the Fig Tree
Pieces of Gold
The Power of a Promise
A Precious Life
The Princess Who Overcame Evil
The Proud Peacock
The Rabbit in the Moon
The Rabbit Who Overcame Fear
The Spade Sage
Three Wise Birds
The Value of Friends
Wisdom of the Golden Goose
A Wise Ape Teaches Kindness